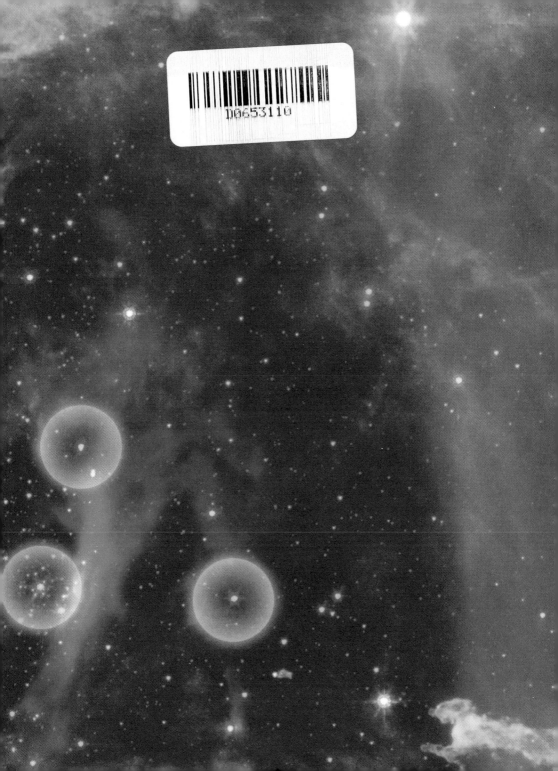

Av Lucy och Stephen Hawking har tidigare utgivits:

George och universums hemlighet
George och rymdjakten

Om bilden på bokens för- och eftersättssidor:
Rosettnebulosan, här avbildad genom NASA:s Spitzer Space
Telescope, rymmer flera superheta stjärnor, så kallade O-stjärnor.
Dessa är de blå stjärnorna inuti sfärerna. O-stjärnor har kraftiga
stjärnvindar och avger stark strålning, och omges av en upp till
1,6 ljusår – eller 15 biljoner kilometer – stor planetarisk "farozon".
Eventuella planeter kring de unga stjärnorna som finns inom
farozonen blir troligtvis bortblåsta ut i rymden. Rosettnebulosan
ligger över 5 000 ljusår bort från vårt solsystem.

GEORGE OCH DEN STORA SMÄLLEN

LUCY & STEPHEN HAWKING

Översättning Ingmar Wennerberg

B|WAHLSTRÖMS

www.wahlstroms.se

Copyright © Lucy Hawking 2011
The right of Lucy Hawking to be identified as the author of this work has been
asserted in accordance with the Copyright, Designs and Patents Act 1988.
First published by Random House Children's books, UK.

Cover and internal illustrations rights © Garry Parsons
Wormhole and conceptual cover artwork copyright © Mark Garlick/Science
Photolibrary
Colour inserts copyright © nasaimages.org, Spaceflightnow.com and Hubble

Svensk utgåva © 2011 B. Wahlströms Bokförlag, Forma Books AB
Forma Books AB är en del av Forma Publishing Group AB som är miljöcertifierat
enligt SS-EN ISO 14001
Originalets titel: George and the Big Bang
Faktagranskning av den svenska översättningen: Magnus Axelsson, forskare vid
Instutitionen för astronomi, Stockholms universitet
Omslags- och inlageillustrationer: Garry Parsons
Omslag: Maria Sundberg
Sättning: Anki Förste, 1:e Tantorange AB
Tryck: ScandBook AB, Falun 2011

ISBN 978-91-32-15999-2

Till Willa, Lola och George, Rose, George, William och Charlotte

DE SENASTE VETENSKAPLIGA TEORIERNA

Den här boken innehåller ett antal lysande texter om naturvetenskapliga ämnen som ger läsaren aktuella insikter i några av de senaste teorierna. Texterna har skrivits speciellt för boken av följande eminenta forskare:

FAKTAREGISTER

Boken innehåller mycket naturvetenskap, men det finns också särskilda avsnitt med fakta om särskilda ämnen. Vissa läsare kanske vill studera just dessa sidor.

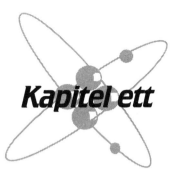

Kapitel ett

Vilket är det bästa stället i universum för en gris att leva på? Annie satt och skrev på superdatorn Kosmos tangentbord. "Kosmos vet!" förkunnade hon. "Han måste kunna hitta någon bättre plats för Freddy att bo på än den där sunkiga gamla bondgården."

Faktum var att det inte var något större fel på bondgården där grisen Freddy numera bodde – alla de andra djuren verkade i alla fall trivas bra där. Det var bara Freddy, Georges älskade gris, som var olycklig.

"Det känns hemskt", sa George sorgset medan Kosmos, världens starkaste superdator, gick igenom sina miljoner eller miljarder filer för att försöka

besvara Annies fråga om grisar. "Freddy var så arg att han inte ens ville titta på mig."

"Han tittade på

mig!" sa Annie häftigt och blängde på skärmen. "Jag är övertygad
om att han skickade ett meddelande med sina grisögon. Nämligen
HJÄLP! HJÄLP MIG HÄRIFRÅN!"

Dagsutflykten för att hälsa på Freddy på bondgården alldeles
utanför Foxbridge, universitetsstaden där George och Annie
bodde, hade varit ganska misslyckad. När Annies mamma, Susan,
hade kommit för att hämta dem sent på eftermiddagen hade hon
till sin förvåning konstaterat att George var illröd av ilska medan
Annie var gråtfärdig.

"George! Annie!" sa Susan. "Vad står på? Hur är det med er?"

"Det är Freddy!" utbrast Annie och hoppade in i bilens
baksäte. "Han hatar att vara på den här bondgården!"

Freddy var Georges gris. George hade fått honom i julklapp
av sin farmor när Freddy fortfarande varit griskulting. Georges
föräldrar var miljöaktivister, vilket också innebar att de inte var
särskilt förtjusta i presenter. De gillade inte hur alla övergivna,
trasiga och oönskade leksaker som blev kvar efter jul hopades i
kolossala drivor av gammal plast och metall som kvävde valar och
ströp måsar där de drev fram över havet, eller samlades i enorma
högar av ful bråte på land.

Georges farmor visste att hon inte kunde ge George en
vanlig julklapp, för då skulle hans föräldrar bara lämna tillbaka
den och alla skulle bli sura och upprörda. Så om han skulle få
behålla sin julklapp var det bäst att hon gav honom någonting
speciellt – någonting som *hjälpte* planeten snarare än förstörde den.

Det var därför som George en kall julafton för några år sedan
hade hittat en pappkartong utanför ytterdörren. Inuti fanns en

liten skär griskulting och en lapp från farmor med texten: *Den här lille krabaten behöver ett hem – kan ni ge honom det?* George hade varit överlycklig. Inte nog med att han hade fått en julklapp som hans föräldrar måste låta honom behålla – han hade, vilket var ännu bättre, fått en alldeles egen gris.

Problemet med små skära griskultingar är förstås att de växer och blir större. Större och större, tills de är helt enorma – alldeles för stora för trädgården utanför ett vanligt radhus, som inte är mycket mer än en bit mark med lite torftiga grönsaker mellan staketen som skiljer den från grannträdgårdarna. Men Georges föräldrar var innerst inne vänliga själar och Freddy, som George hade kallat grisen, hade fått bo i sin svinstia i trädgården tills han blivit jättelik – han påminde numera snarare om en elefantbebis än en gris. George brydde sig inte om hur stor Freddy blev – han var väldigt förtjust i sin gris och kunde tillbringa timmar i

trädgården med att prata med honom eller bara sitta och läsa om universums underverk i hans kolossala skugga.

Men Georges pappa, Terence, hade aldrig riktigt gillat Freddy. Freddy var för stor, för grisig och för skär och dessutom så gillade han att dansa omkring i Terences noggrant planerade grönsaksland. Där trampade han ned spenat och broccoli och mumsade obekymrat på uppstickande morötter. Förra sommaren, innan tvillingarna föddes, hade hela familjen varit ute och rest. Terence hade varit supersnabb med att hitta en plats åt Freddy på en närbelägen bondgård för barn och han lovade George att grisen skulle få komma hem igen så fort de kom tillbaka.

Dessvärre blev det inte så. George och hans föräldrar återvände efter sina äventyr och Georges grannar – vetenskapsmannen Eric, hans fru Susan och deras dotter Annie – flyttade tillbaka efter en tid i USA. Sedan födde Georges mamma tvillingar, två flickor som fick namnen Juno och Hera och ägnade dagarna åt att gråta, gurgla och le. Och gråta lite till. Varje gång en av dem slutade gråta så följde en underbar halvsekunds tystnad. Sedan satte den andra bebisen igång och tjöt tills George trodde att hans hjärna skulle explodera och rinna ut genom öronen. Hans mamma och pappa såg alltid stressade och härjade ut och George kunde knappt med att be dem om någonting alls. Så snart Annie kom tillbaka från USA hade han börjat krypa igenom hålet i staketet allt oftare tills han praktiskt taget bodde i grannhuset tillsammans med sin kompis, hennes tokiga familj och världens mest kraftfulla superdator.

Men det var naturligtvis värre för Freddy, för han hade inte fått komma hem överhuvudtaget.

Så snart tvillingsystrarna var födda hade Georges pappa sagt att de hade tillräckligt mycket att stå i utan att en jättestor gris tog upp större delen av trädgården. "Dessutom är Freddy en jordens varelse", sa han lite pompöst när George protesterade. "Han tillhör inte dig – han tillhör naturen."

Men Freddy fick inte ens stanna på den lilla trivsamma bondgården för barn, eftersom den hade fått stänga i början av det här sommarlovet. Freddy hade – i likhet med de andra djuren på bondgården – förflyttats till ett större ställe där det fanns ovanliga typer av bondgårdsdjur och som fick mängder av besökare, i synnerhet under sommarhalvåret. Det måste vara ungefär som det var för honom och Annie att börja på nya skolor, tänkte George – att komma till en stor, främmande plats. Det var lite läskigt.

"Naturen!" fnös han när han tänkte på sin pappas kommentar. Datorn Kosmos arbetade fortfarande med den komplicerade frågan om vilken plats i universum som var lämpligast för en hemlös gris. "Jag tror inte att Freddy bryr sig det minsta om att han är en jordens varelse – det enda han vill är att vara med oss", sa George.

"Han såg så ledsen ut!" sa Annie. "Jag är helt säker på att han grät."

På resan till bondgården tidigare under dagen hade George och Annie hittat Freddy liggande på mage på golvet i sin svinstia med klövarna utfläkta åt sidorna. Ögonen hade varit matta och kinderna insjunkna. De andra grisarna hade glatt skuttat omkring och verkat lyckliga och friska. Svinstian var trots allt rymlig

och luftig, bondgården ren och människorna som arbetade där vänliga. Men ändå verkade Freddy ha förlorat sig i ett alldeles eget grishelvete. George greps av fruktansvärda skuldkänslor. Sommarlovet led mot sitt slut och han hade inte gjort någonting alls för att få hem Freddy igen. Dagens utflykt till bondgården hade varit Annies idé och det hade varit hon som fått sin mamma att köra dit dem och hämta dem igen efteråt.

George och Annie hade frågat arbetarna vad som var fel med Freddy. De hade också sett bekymrade ut. En veterinär hade tittat på Freddy och konstaterat att han inte var sjuk – han verkade bara djupt bedrövad, som om han höll på att tyna bort. Han hade trots allt vuxit upp i Georges stillsamma trädgård och sedan flyttat till en liten bondgård dit det då och då kom barn och kelade med honom. På det nya stället omgavs han av högljudda, okända djur och det kom mängder med besökare varje dag. Det var nog en alldeles för stor chock. Freddy hade aldrig bott tillsammans med andra grisar förut och var helt ovan vid djur – faktum var att han betraktade sig själv mer som människa än gris. Han kunde inte begripa vad han gjorde på en bondgård där det hela tiden kom gäster som hängde utmed svinstians kanter och stirrade på honom.

"Kan vi inte få ta med honom hem?" hade George frågat.

Skötarna hade sett lite förvirrade ut. Det fanns mängder av regler och bestämmelser kring hur djur fick förflyttas och dessutom ansåg de att Freddy helt enkelt var för stor för att bo i en trädgård inne i stan. "Han blir snart bättre!" sa de lugnande. "Vänta bara. Du ska se att det är helt annorlunda nästa gång du hälsar på!"

"Men han har redan varit här i flera veckor", protesterade George.

Han visste inte om skötarna inte hörde honom eller helt enkelt struntade i vad han sa.

Annie hade däremot andra idéer. Hon hade börjat göra upp planer så snart de kommit tillbaka hem till henne. "Vi kan inte flytta hem Freddy till dig", sa hon och slog på Kosmos. "Din pappa skulle bara föra honom raka vägen tillbaka till bondgården. Och här hos oss kan han inte heller bo."

George visste att det tyvärr var sant. Han såg sig omkring i Erics arbetsrum: Kosmos satt uppflugen på skrivbordet, ovanpå oändliga travar med vetenskapliga texter och omgiven av darrande torn av böcker, halvdruckna tekoppar och papperslappar med nedklottrade ekvationer. Annies pappa använde superdatorn när han arbetade på sina teorier om universums uppkomst. Det verkade nästan lika svårt för den att hitta ett hem åt en gris.

När Annie och hennes familj först flyttat in i huset hade Georges gris gjort en dramatisk entré. Han hade kommit instormande i Erics arbetsrum så att böckerna virvlat genom luften. Eric hade varit ganska nöjd, för mitt i kaoset så hade Freddy faktiskt hjälpt honom att hitta en bok han letat efter. George och Annie visste dock att Eric inte skulle välkomna en gris just nu. För tillfället var han alldeles för upptagen med sitt jobb för att ta hand om en gris.

”Vi måste hitta något trevligt ställe åt Freddy”, sa Annie bestämt.

Ping! Kosmos skärm vaknade till liv igen och började blinka i olika färger – ett säkert tecken på att superdatorn var belåten med sig själv. ”Jag har gjort en sammanställning av förhållandena i vår del av kosmos och dess lämplighet för grisar”, förkunnade han. ”Vänligen klicka på rutorna för att läsa en sammanfattning av er gris möjligheter att överleva på de olika planeterna i vårt solsystem.” Datorn skrockade förnöjsamt. ”Jag har tagit mig friheten att för varje planet bifoga en illustration med mina egna kommentarer.”

”Wow!” sa Annie. ”Kosmos, du är *bäst*!”

På Kosmos skärm syntes åtta små rutor som var och en var märkt med namnet på en planet i solsystemet. Hon klickade på den som var märkt MERKURIUS …

Merkurius
Skållad gris

Jupiter
Sjunkande gris

Venus
Stinkande gris

Saturnus
Gris i omloppsbana

Jorden
Glad gris

Uranus
Uppochnedvänd gris

Mars
Studsande gris

Neptunus
Vindpinad gris

VÅRT SOLSYSTEM

Den familj med planeter som kretsar runt vår stjärna, solen, kallas solsystemet.

Hur vårt solsystem uppstod

> Vårt solsystem bildades för omkring 4,6 miljarder år sedan.

Steg ett:
Ett moln av gas och stoft började kollapsa. Kollapsen kan ha utlösts av chockvågor från en supernova i närheten.

Steg två:
Ett klot av stoft bildades. Det roterade och planades ut till en skiva medan det drog till sig mer stoft. Skivan blev gradvis allt större och roterade allt fortare.

Steg tre:
Den centrala delen av det kollapsade molnet blev varmare och varmare tills det började brinna och förvandlas till en stjärna.

Steg fyra:
Medan stjärnan brann klumpade stoftet ihop sig i skivan runt omkring. Klumparna växte till stenar, som så småningom bildade planeter i omlopp kring stjärnan i mitten – vår sol. Dessa planeter kom att bilda två huvudgrupper: stenplaneterna i hettan nära solen och gasplaneterna som ligger längre ut, bortanför Mars. Gasplaneterna består av en tjock gasatmosfär som omger ett flytande innanmäte och, ytterst troligt, en fast kärna.

> Det tar omkring 10 miljoner år för stjärnor med en massa som vår sols att uppstå!

Steg fem:

Planeterna rensade upp sina omloppsbanor genom att ta upp allt material som kom i deras väg.

> Eftersom Jupiter är den största planeten är det möjligt att den skötte det mesta av upprensningen själv.

Steg sex:

Flera hundra miljoner år senare lade sig planeterna i stabila omloppsbanor – samma omloppsbanor de följer i dag. Restmaterialet som blev över hamnade antingen i asteroidbältet mellan Mars och Jupiter eller mycket längre bort i Kuiperbältet bortanför Pluto.

Finns det fler solsystem som vårt?

Astronomer har i flera hundra år misstänkt att det finns fler stjärnor i universum med planeter i omloppsbana. Det var dock inte förrän 1992 som man kunde bekräfta den första exoplaneten, som kretsade runt liket av en massiv stjärna. Den första planeten som kretsade runt en riktig, klart lysande stjärna upptäcktes 1995. Sedan dess har man hittat fler än 400 exoplaneter – och några av dem kretsar runt stjärnor som är väldigt lika vår sol!

> En exoplanet är en planet i omloppsbana runt en annan stjärna än jordens sol.

Det här är bara början. Även om det endast finns planeter i omloppsbana runt 10 procent av stjärnorna i vår galax så skulle det ändå betyda att det finns över 200 miljarder solsystem bara i Vintergatan.

En del av dessa påminner sannolikt om vårt solsystem. Andra kan se väldigt annorlunda ut. Från planeter i omloppsbana runt en dubbelstjärna skulle man till exempel kunna se två solar gå upp och ned på himlen. Om man känner till avståndet mellan en stjärna och dess planeter – samt stjärnans storlek och ålder – kan man beräkna sannolikheten för att det finns liv på planeterna.

De flesta exoplaneter vi känner till i andra solsystem är helt enorma – lika stora som Jupiter eller ännu större – huvudsakligen på grund av att sådana planeter är lättare att upptäcka än mindre planeter. Men astronomer har nyligen börjat upptäcka steniga, mindre planeter som kretsar runt sin stjärna på rätt avstånd och som skulle kunna vara mer lika planeten jorden.

I början av 2011 bekräftade NASA att deras Kepler-teleskop har upptäckt en planet som påminner om jorden i omloppsbana runt en stjärna 500 ljusår bort! Den nya planeten, som fått namnet Kepler 10-b, är 1,4 gånger så stor som vår hemplanet och kan vara den mest jordlika planet som hittills upptäckts.

Kapitel två

"Men jag tror inte att Freddy skulle överleva på någon av de här planeterna", invände George efter att de hade gått igenom Kosmos översikt över solsystemet ur grisperspektiv. "Han skulle börja koka på Merkurius, blåsa bort på Neptunus och sjunka genom lager av giftig gas på Saturnus. Han skulle nog önska att han var tillbaka på bondgården igen."

"Bara här på jorden …", mumlade Annie. "Det är den enda planeten i solsystemet som lämpar sig för liv." Hon rynkade på näsan, vilket betydde att hon var djupt koncentrerad. "Det är precis som för oss människor", sa hon plötsligt. "Du minns väl hur min pappa pratade om att hitta ett nytt hem åt mänskligheten utifall att vår planet blev obeboelig?"

"Du menar ifall vi träffas av en jättestor komet eller den globala uppvärmningen blir för svår?" sa George. "Vi skulle inte kunna leva på den här planeten om det blev stora vulkanutbrott eller hela jorden förvandlades till en jättelik, torr öken." Georges föräldrar var miljöaktivister och han kände till alla de hemska

Asteroidattack!

 En asteroid är ett stenfragment som blivit kvar sedan solsystemet bildades för ungefär 4,6 miljarder år sedan. Forskare räknar med att det sannolikt finns flera miljoner asteroider i vårt solsystem.

Asteroider varierar i storlek och kan vara alltifrån ett par meter till flera hundra kilometer stora.

 Ibland händer det att en asteroid knuffas ut ur sin omloppsbana – till exempel av närbelägna planeters gravitation – och den kan då skickas på kollisionskurs med jorden.

 Ungefär en gång per år kommer en sten-bumling stor som en personbil in i jordens atmosfär, men den brinner upp innan den når planetens yta.

Med några tusen års mellanrum slår ett stenblock stort som en idrottsplan ned på jorden. Och med några miljoner års mellanrum träffas jorden av ett rymdföremål – en asteroid eller komet – stort nog att utgöra ett hot mot hela civilisationen.

Om en asteroid eller en komet – en stenig isklump i omlopp runt solen – skulle träffa jordens yta är det möjligt att den skulle slå hål på jordskorpan och utlösa en lång rad vulkanutbrott. Ingenting skulle överleva en sådan katastrof.

En **meteorid** är en stenbumling som flyger genom vårt solsystem. Om samma sten landar på jorden kallar man den **meteorit**.

För 65 miljoner år sedan slog en asteroid ned på jorden. Det kan ha varit den som utplånade dinosaurierna – smällen orsakade ett moln av fint stoft som blockerade solskenet, vilket ledde till att dinosaurierna och många andra arter dog ut.

Gammablixt ... Game over!

 Ett annat exotiskt hot mot jorden är gammastrålning från rymden.

 När en väldigt massiv stjärna når slutet av sin livscykel och exploderar i en supernova så skickar den inte bara ut varmt stoft och gas genom universum i ett expanderande moln. Den skjuter också iväg gammastrålning i en dödlig tvillingstråle, ungefär som strålen från ett fyrtorn. Om jorden befann sig rakt i vägen för en sådan stråle, och om gammablixten utlöstes tillräckligt nära oss, så skulle strålen kunna slita sönder vår atmosfär. Bruna moln av kväve skulle fylla himlen.

 Sådana explosioner är sällsynta. De skulle behöva inträffa inom ett avstånd på några tusen ljusår för att orsaka riktig skada och strålen skulle behöva träffa oss med stor precision. Astronomer som har studerat det här problemet i detalj är därför inte särskilt oroade!

Självförstörelse!

⭐ Vi har redan orsakat stora skador på vår planet – utan någon som helst hjälp av asteroider eller gammastrålar.

⭐ Jorden lider av överbefolkning.

Jorden är hem åt ungefär 7 miljarder människor.

⭐ Alla extra människor innebär att vi behöver odla mer mat, vilket ökar belastningen på jordens naturtillgångar och betyder att ännu mer gas kommer ut i atmosfären.Klimatförändring är ett ämne som har diskuterats flitigt. Forskarna är eniga om att planeten blir varmare och att det är människans aktiviteter som orsakar denna förändring. De räknar med att förändringen kommer att fortsätta, vilket innebär att världen kommer att bli varmare. Vissa områden kommer att utsättas för kraftiga regn medan andra kommer att drabbas av torka. Havsnivån väntas stiga, vilket kan göra livet väldigt svårt för människor i kustregioner.

⭐ Det blir fler och fler människor på jorden, men andra arter minskar i antal. Utrotning av djur är ett växande problem. Hela grupper av arter försvinner just nu från jordens yta. Det är tragiskt att vi håller på att förstöra vår vackra och unika planet precis när vi börjar förstå hur den verkligen fungerar.

Nästan en fjärdedel av jordens däggdjur och en tredjedel av alla amfibier hotas av utrotning.

sakerna som kunde hända med jorden om människan inte började ta hand om den bättre.

"Precis!" sa Annie. "Min pappa säger att människan måste börja leta efter ett nytt hem. Precis som Freddy. Grisar behöver ungefär samma förhållanden som människor, så om vi kan hitta en plats i universum som lämpar sig för mänskligt liv så skulle även Freddy klara sig bra där."

"Så det enda Kosmos behöver göra är att hitta ett nytt hem åt mänskligheten? Då vet vi även vart vi kan skicka min gris?"

"Exakt!" sa Annie lyckligt. "Och vi kan ju hälsa på honom i rymden då och då, så han skulle inte behöva känna sig ensam och övergiven." De tystnade båda två när de började inse att deras fantastiska plan hade vissa brister.

"Hur lång tid skulle det ta att hitta ett hem åt Freddy i rymden?" frågade George efter en liten stund. "Din pappa har letat och letat efter ett ställe där mänskligheten kan anlägga en koloni och han är fortfarande inte säker på om han har hittat rätt plats."

"Öh … nej", medgav Annie. "Så till att börja med *kanske* vi borde försöka hitta ett hem åt Freddy på lite närmare håll."

"Någonstans på planeten jorden skulle nog vara bra", sa George och nickade. "Men hur ska vi forsla honom till hans nya hem – i rymden eller på jorden? Hur förflyttar man egentligen en stor, tjock gris?"

"Det är det som är det geniala med min briljanta plan!" utbrast Annie och sken upp. "Vi kommer att använda Kosmos! Om Kosmos kan skicka iväg oss på långa resor genom universum så borde det inte vara några som helst problem att förflytta en gris en kort sträcka här på jorden. Har jag inte rätt, Kosmos?" frågade hon.

"Visst har du det, Annie", bekräftade Kosmos. "Jag är så smart och intelligent att jag kan göra precis allt du sa."

"Men borde han göra det?" frågade George. "Jag menar … skulle inte din pappa bli lite sur om han märkte att vi har använt hans superdator för att transportera en gris?"

"Om ni inte gav mig specifika instruktioner om att informera Eric om våra grisäventyr, så skulle jag inte ha någon anledning att göra det", sa Kosmos slugt.

"Vad var det jag sa!" sa Annie. "Om vi ber Kosmos att föra Freddy till en säker plats så kommer Kosmos att göra det."

"Hm", sa George tveksamt. Han hade varit på resor förut där Kosmos fått fria tyglar att välja destination och han var inte helt övertygad om att superdatorn alltid fick till det rätt. George hade ingen lust att knuffa sin gris genom portalen – den förbluffande dörren ut i världsrymden som Kosmos kunde öppna – och upptäcka att han hade skickats till en korvfabrik. Eller taket på Empire State Building. Eller någon avlägsen tropisk ö som skulle vara alldeles för varm för Freddy – för att inte tala om ensam.

"Kosmos", sa han artigt. "Skulle du

kunna börja med att visa oss några platser du kan skicka Freddy till? Och innan vi hittar ett permanent hem så måste allihop vara så nära att vi kan cykla dit. Jag tror inte att vi bör använda dig mer än nödvändigt – vi kan åka fast."

"Ditt ärende är under behandling", svarade Kosmos. När Annies familj hade återvänt från USA hade Kosmos drabbats av en gigantisk kollaps. Eric hade lyckats reparera honom och Kosmos attityd var numera betydligt mer användarvänlig än innan. Hans kretsar surrade i några sekunder och sedan uppenbarades en bild i luften mitt i Erics arbetsrum. Två smala ljusstrålar ledde från Kosmos till bilden.

"Det är en karta!" sa George. "Det ser ut som ... vänta lite! Det är ju Foxbridge!"

"Visst", sa Kosmos. "Det är en 3D-bild. Allting som Google gör kan jag göra bättre." Han grymtade lite. "De kaxiga uppkomlingarna!"

"Oj oj, det är verkligen vackert!" suckade Annie. Alla delar av den urgamla och förnäma universitetsstaden Foxbridge syntes i perfekt detalj på Kosmos karta – varje torn, fästningsvall, spira och kringbyggd gård fanns återgiven i miniatyr.

I ett hörn av en gårdsplan blinkade ett litet rött ljus.

"Det är ju där pappa studerade!" sa Annie förvånat. "Där det blinkar, menar jag. Varför visar du den byggnaden?"

"Enligt mina filer trivs grisar i lugna, mörka utrymmen med frisk luft och lite solsken", sa Kosmos. "Den markerade platsen är en tom vinkällare vid ett gammalt torn. Den har ett ventilationssystem, så luften är ren. Dessutom finns det ett litet takfönster. Vinkällaren har inte varit i bruk på många år, så er gris bör vara säker och nöjd där i några dagar förutsatt att ni forslar dit lite halm från bondgården."

"Är du säker?" frågade George. "Kommer han inte att känna sig instängd?"

"Det här är en lugn och fridfull plats som lämpar sig utmärkt för grisen under en övergångsperiod", svarade Kosmos. "Där kommer han att få lite andrum tills ni hittar ett permanent hem."

"Vi måste hämta honom från gården!" utbrast Annie. "Och det fort! Han har det förfärligt där och vi måste, måste, *måste* rädda honom!"

"Kan vi få se källaren?" frågade George.

"Visst", sa Kosmos. "Jag kommer att öppna ett litet fönster så att ni kan se källaren och bekräfta informationen jag har gett er."

Kartan upplöstes i tomma intet och ersattes av en rektangel av ljus när Kosmos skapade sin portal. Annie och George hade gått igenom den många gånger på sina resor ut i rymden. Vid sådana tillfällen brukade Kosmos göra en dörr, men om han bara ville visa dem något så ritade han upp ett litet fönster de kunde titta genom.

"Det här är så spännande!" utbrast Annie medan de väntade. "Varför har vi aldrig tänkt på att man kan använda Kosmos för att resa här på jorden?"

Rektangeln blev mörk. George och Annie kikade lite närmare.

"Kosmos, vi kan inte se något!" sa George. "Sa du inte att det skulle finnas lite dagsljus? Vi vill ju inte att Freddy ska tro att han har hamnat i fängelse!"

Kosmos lät förvirrad. "Jag har dubbelkollat koordinaterna och det här är faktiskt rätt plats. Någon kanske har täckt för fönstret?"

"Vad i ...", viskade Annie. "Mörkret – det rör ju på sig!" Mörkret som skymde fönstret tycktes svaja från sida till sida. "Lyssna!" väste hon. "Jag hör röster."

"Omöjligt", sa Kosmos. "Enligt mina uppgifter används inte den här källaren längre."

"Vad gör i så fall alla de där människorna där?" frågade Annie lågt. "Titta!"

George stirrade in genom fönstret och insåg att hon hade rätt. Vad de såg var inte något mörkt rum där inget ljus kunde tränga in. Det var ett myller av människor som stod och trängdes – människor som allihop var svartklädda. Uppenbarligen var allihop vända bort från dem, för det enda som syntes var axlar och ryggar.

"Kan de se oss?" viskade Annie.

"Om de vänder sig om ser de portalfönstret", sa Kosmos, som hade gjort en snabb analys av rummet. "Trots att det strider mot logiken, sannolikheten och förnuftet så verkar det faktiskt vara fullt med människor i källaren!"

"Levande människor?" frågade Annie förfärat. "Eller döda?"

"De andas och fungerar normalt", sa Kosmos.

"Vad gör de?"

"De …"

"Vänder sig om", sa George skräckslaget. "Kosmos, stäng portalen!"

Kosmos slog igen fönstret så snabbt att ingen i källaren lade märke till den lilla ljusblixten. Och även om de hade gjort det så skulle nog ingen av dem gissa att deras hemliga möte hade iakttagits av två väldigt förbryllade barn och en skärrad superdator i ett vanligt hus i en av Foxbridges förorter.

Men en röst inifrån källaren letade sig ut i rummet där Annie och George satt orörliga och chockade. "Leve det falska vakuumet!" sa den. "Det falska vakuumet, som ger oss liv, energi och ljus!" Kosmos hade haft så bråttom att stänga portalen innan någon såg datorn – och barnen – att han hade tagit bort den visuella skärmen men inte ljudet. De kunde alltså höra vad som

försiggick i källaren, även om de inte kunde se det.

Det var dödstyst. Annie och George vågade knappt andas. Det var som om de lyssnade på ett sällsynt fasansfullt radioprogram. Efter en liten stund fortsatte rösten.

"Vi lever i en farlig tid", väste den. "Det här kan vara de yttersta dagarna, strax innan själva universum slits i stycken av en förintande kosmisk bubbla. De kriminella vetenskapsmännen vid LHC-acceleratorn kommer snart att inleda sitt nya högenergiexperiment. Vårt förra försök att hindra dem från att använda acceleratorn misslyckades. Den nuvarande situationen är betydligt allvarligare. I samma ögonblick som dårarna sätter igång sin maskin kommer en kosmisk katastrof att utlösas – en katastrof som kommer att utplåna hela universum! Deras planer på att ta arbetet med LHC-acceleratorn till nästa nivå kan innebära slutet för oss alla!"

Annie och George hörde hur orden möttes av arga muttranden och fräsanden från den täta folksamlingen i rummet.

"Tystnad!" sa rösten. "Vår framstående vetenskaplige expert ska nu förklara situationen lite närmare."

En ny röst tog till orda. Det var en äldre, mjukare röst. "De här dårarna är livsfarliga och leds av en forskare från Foxbridge vid namn Eric Bellis."

Annie gnydde till och lade handen för munnen. Eric Bellis var hennes pappa!

"Det är Bellis som leder experimentet om högenergikollisioner med LHC-acceleratorns ATLAS-detektor. Snart inleds den allra farligaste fasen. Om Bellis uppnår kollisionsenergin han siktar på så kommer det enligt mina beräkningar att föreligga en hög sannolikhet för ett spontant sönderfall av universum på grund av att en bit av det äkta vakuumet uppstår.

Om så mycket som en pyttelliten bubbla av det sanna vakuumet skapas i en partikelkollision vid LHC-acceleratorn så kommer bubblan att expandera med ljusets hastighet. Den kommer att ersätta det falska vakuumet och utplåna all materia! Alla atomer på jorden kommer att upplösas på mindre än en tjugondels sekund. Inom åtta timmar kommer solsystemet att vara borta. Och naturligtvis så slutar det inte där …"

Men rösterna från källaren avtog långsamt medan Kosmos kämpade för att upprätthålla kontakten.

"Bubblan kommer att fortsätta expandera för evigt", fortsatte rösten i en hotfull viskning. "Bellis kommer att ha lyckats med det otänkbara – han kommer att ha utplånat hela universum!"

Det sista "mmm" från ordet "universum" hängde kvar i luften en stund innan det blev helt tyst.

George, Kosmos och Annie var som fastfrusna. Det var Kosmos som återfick fattningen först.

Texten "FARLIG MILJÖ FÖR GRISAR!" blinkade ett par gånger på skärmen i stora, röda bokstäver.

"Vi ska nog inte skicka dit Freddy", instämde Annie som såg ganska omtöcknad ut. "Nej, aldrig att vi skickar vår gris till de där otäcka människorna! Särskilt inte om de tänker håna min pappa!"

George svalde. Vad hade de svartklädda människorna egentligen pratat om? "Kosmos och Annie!" sa han. "Vad *var* det där för typer?"

Kapitel tre

"Vad då för typer?" frågade Eric och sköt upp dörren till sitt arbetsrum. Han var klädd i tweedjacka, höll en rykande kopp te i handen och hade en bunt vetenskapliga rapporter inklämd under armen. "Hej, Annie och George!" sa han. "Njuter ni av sommarlovets sista dag?"

De två vännerna stirrade uttryckslöst på honom.

"Kära nån! Jag förmodar att det där betyder 'nej'", sa Eric.
"Är det något som är fel?" Han log mot dem båda. Eric kunde
inte sluta le nuförtiden. Om George hade varit tvungen att
beskriva Annies far just nu så skulle han ha använt orden
"otroligt glad". Eller "otroligt upptagen". Faktum var att Eric
verkade lyckligare ju mer upptagen han var. Sedan återkomsten
från USA, där han hade deltagit i ett rymdprojekt för att
hitta spår av liv på Mars, verkade han alltid ha bråttom och
han tycktes hela tiden ha roligt. Han var lycklig över att
vara hemma med sin familj, han älskade sitt nya jobb som
matematikprofessor på universitetet i Foxbridge och han var
superentusiastisk över det stora experimentet han ledde vid
LHC-acceleratorn i Schweiz.

Projektet vid acceleratorn var en naturlig fortsättning på ett
arbete som inletts av vetenskapsmän flera hundra år tidigare.
Målet var att upptäcka vad världen var gjord av och hur de
pyttesmå byggstenarna satt ihop och bildade universums innehåll.
För att göra detta försökte Eric och de andra vetenskapsmännen
att hitta en teori som skulle få dem att förstå allt om universum.
Den hade fått det enkla namnet "teorin om allt". Den var det
högsta målet inom naturvetenskapen. Om forskarna bara kunde
hitta en sådan teori så skulle de inte bara förstå universums
uppkomst utan kanske även hur – och varför – vårt universum
uppstod.

Tack vare de nya möjligheterna som erbjöds av LHC-
acceleratorn var det fascinerande målet äntligen inom räckhåll,
så det var inte särskilt konstigt att Eric var uppspelt. Han var

Under historiens gång har människan tittat sig omkring och försökt förstå allt det otroliga hon sett. Man har frågat sig: Vad är det här för saker? Varför rör de sig och förändras som de gör? Har de alltid funnits? Vad kan de säga oss om varför vi är här? Det är först under de senaste århundradena som vi har börjat hitta vetenskapliga svar.

Klassisk teori

År 1687 publicerade Isaac Newton sina *rörelselagar*, som beskriver hur krafter påverkar hur föremål rör sig, samt sin *gravitationslag*, som säger att två föremål i universum dras till varandra genom en kraft kallad *gravitation* – vilket förklarar varför vi sitter fast på jordens yta, varför jorden kretsar runt solen samt hur planeterna och stjärnorna uppstod. På en skala med planeter, stjärnor och galaxer är gravitationen arkitekten som kontrollerar universums övergripande struktur. Newtons lagar är fortfarande bra nog för att placera satelliter i omloppsbana och skicka rymdfarkoster till andra planeter. Men för föremål som är väldigt snabba eller tunga krävs mer moderna klassiska teorier, nämligen Einsteins relativitetsteorier.

NEWTONS LAGAR

Rörelselagarna

1. Varje partikel förblir i vila, eller rör sig längs en rät linje med konstant hastighet, så länge inga yttre krafter påverkar den.

2. Förändringen i en partikels rörelsemängd är proportionell mot den yttre kraftens storlek och i dess riktning.

3. Om en partikel påverkar en andra partikel så kommer den andra partikeln att påverka den första partikeln med en lika stark, men motriktad, kraft.

Gravitationslagen

Varje partikel i universum attraherar längs en rät linje varje annan partikel med en kraft som är direkt proportionell mot produkten av partiklarnas massor och är omvänt proportionell mot kvadraten av avståndet mellan dem.

Kvantmekanik

Den klassiska teorin lämpar sig väl för
stora saker som galaxer, bilar eller till och med
bakterier. Men den kan inte förklara hur atomer fungerar
– faktum är att den säger att atomer inte kan existera! Under
det tidiga 1900-talet insåg fysiker att de behövde utveckla en helt
ny teori för att förklara egenskaperna hos väldigt små saker som
atomer eller elektroner: kvantmekaniken. Versionen som sammanfattar
våra nuvarande kunskaper om fundamentala partiklar och krafter kallas
för standardmodellen. Den inbegriper kvarkar och leptoner (materians
byggstenar), fältpartiklar (gluoner, fotoner, W-partiklar, Z-partiklar) samt
Higgspartiklar (som behövs för att förklara de andra partiklarnas massa
men ännu inte har påvisats). Många forskare anser att det här är för
komplicerat och skulle vilja ha en enklare modell. Och var är egentligen
den mörka materian som astronomer har upptäckt? Och hur är
det med gravitationen? Fältpartikeln för gravitationen kallas
gravitonen, men att lägga till den i standardmodellen är
svårt eftersom gravitationen är väldigt annorlunda –
den ändrar rumtidens form.

Den stora utmaningen – teorin om allt ...

En teori som förklarade *alla* krafter och *alla* partiklar – en teori
om *allt* – skulle skilja sig väldigt mycket från allt vi tidigare
har sett eftersom den skulle behöva förklara både rumtiden
och gravitationen. Men om den existerade så skulle den ge
en fysikalisk förklaring av hela universum inklusive de svarta
hålens hjärtan, den stora smällen och världsalltets framtid.

Att upptäcka en sådan teori skulle vara
en sensationell bedrift.

faktiskt på så gott humör att han inte ens verkade bry sig om att barnen använde Kosmos trots att de egentligen inte fick det.

"Jag ser att ni har använt min dator!" Han höjde ett ögonbryn, men såg inte arg ut. "Jag hoppas att ni inte har spillt jordgubbssylt mellan tangenterna nu igen", muttrade han och lutade sig fram för att inspektera Kosmos.

"*Vilket är det bästa stället i universum för en gris att leva på?*" läste Eric på skärmen. "Jaha!" Han sken upp. "Jag förstår." Han rufsade Annie i håret. "Din mamma sa att ni två oroar er för Freddy."

"Vi försökte hitta något nytt ställe åt honom", sa Annie.

"Hittade ni något?" frågade hennes far. Han tog av sig sin tweedjacka, drog fram en skranglig gammal snurrstol och satte sig tillrätta mitt emellan Annie och George, som fortfarande stirrade storögt på Kosmos skärm.

"Öh … Kosmos letade igenom solsystemet men kunde inte hitta något", sa George.

"Nej, det kan jag nog tro", mumlade Eric. "Jag har personligen lite svårt att föreställa mig Freddy på Pluto."

"Så vi funderade på att föra honom till någon annan planet som lämpar sig för mänskligt liv, men än så länge har vi inte lyckats hitta någon", fortsatte George.

"Till sist började vi leta i Foxbridge i stället", utbrast Annie. "Vi försökte hitta någon plats i närheten där Freddy kan vara i några dagar. Men i stället upptäckte vi en grupp gräsliga människor i en källare som stod och sa att ditt experiment med LHC-acceleratorn kan utplåna universum!"

Eric såg rasande ut. "Kosmos!" röt han. "Vad har du gjort?"

"Jag försökte bara vara till hjälp", sa Kosmos skamset.

"Grumliga galaxer!" Eric såg inte alls glad ut längre. "Vad
tänkte du egentligen som lät barnen
tjuvlyssna på de där idioterna?"

"De sa att du kommer att förstöra
det falska vakuumet ..." sa George
långsamt. "Och att universum
kommer att utplånas. Är det sant?"

"Nej!" sa Eric surt. "Självklart inte! Det
är en helt galen teori! Bry er inte om dem.
De vill bara skrämma folk för att de inte
gillar vårt stora experiment i Schweiz."

"Men de var på universitetet!"
gnydde Annie.

"Okej, de var där", sa Eric med en avfärdande gest. "De kunde
ha varit var som helst – de blir inte mer trovärdiga för det."

"Du *vet* alltså vilka de är?"

"Inte helt och hållet", medgav Eric. "Det är en hemlig
organisation och medlemmarna döljer sina identiteter. Det enda
vi vet är att de kallar sig 'Teorin Om Allt Rymmer Inte Någon
Gravitation'."

"Teorin Om Allt Rymmer Inte Någon Gravitation ...",
upprepade Annie. "Det blir ju T-O-A-R-I-N-G! TOARING! Är
det verkligen så de kallar sig?"

Eric skrattade lite. "Visst är det passande? De är faktiskt riktiga
toaringar."

"Men vad vill de?"

"Förra året ville TOARING – jag kommer att kalla dem så i fortsättningen! – att vi lade ned arbetet med LHC-acceleratorn. De sa att vi skulle skapa ett svart hål om vi inledde experimentet. Vi struntade i dem och fortsatte. Eftersom vi sitter här i dag så förstår ni ju själva att världen inte slukades av något svart hål. Vi trodde att de gav upp efter det. Men icke! Nu har de börjat med det där pladdret om 'vakuumet' för att förhindra oss från att inleda nästa experiment, som kräver mer energi än experimenten vi har utfört hittills."

"Men varför?" frågade George. "Varför fantiserar de ihop så vansinniga teorier?"

"För att de inte vill att vi lyckas", förklarade Eric. "Vårt mål är att förstå universum på den allra djupaste nivån. Då räcker det inte med att veta hur universum beter sig, utan vi måste också förstå *varför*. Varför existerar någonting snarare än ingenting? Varför finns vi? Varför är vi underkastade just de här naturlagarna och inte några andra? Det är den slutliga frågan om livet, universum och allting! Och vissa människor vill helt enkelt inte att vi får reda på svaret."

"Så det där med bubblan som förstör allt är bara nonsens?" frågade George. Han tyckte att det var bäst att dubbelkolla saken för säkerhets skull.

"Fullständig kosmisk gallimatias!" utbrast Eric. En rynka kröp över hans panna. "Ändå verkar det som om fler och fler människor tror på vad TOARING säger. Därför har vi ändrat planerna för vårt nya experiment så att TOARING inte kommer med någon obehaglig överraskning."

"När börjar ni?" frågade George.

"Vi har redan börjat!" sa Eric. "Acceleratorn är igång, detektorerna är anslutna och vi uppnådde till och med vår eftersträvade luminositet för några veckor sedan." Vetenskapsmannen skakade sorgset på huvudet. "Vi håller det så hemligt vi kan för att inte TOARING ska lägga sig i. De där ynkliga … Nej, låt oss återgå till ämnet. Vart ska vi skicka Freddy? Kosmos!"

Kosmos visade en ny bild på skärmen nästan omedelbart, som om han ville kompensera för sitt tidigare misstag. Det var ett vackert landskap. Solen höll på att gå ned över en fridfull skogklädd dalgång. Trädens grenar vajade mjukt i vinden och det växte vackra vildblommor på marken. Färggranna fjärilar dansade över buskarna.

"Det här skulle vara en bra plats för er gris",
sa Kosmos med darrande röst.

"Vad tror ni?"
frågade Eric
och kastade
en hastig
blick på
Annie och
George.
"Ser det
bra ut?

Skulle ni trivas med att ha Freddy där?"

"Det ser underbart ut …", lyckas George flika in. *Fast var ligger den här platsen?* ville han fråga. Men Eric, som uppenbarligen hade mycket bråttom, hade redan gått vidare till nästa steg.

"Lysande!" sa vetenskapsmannen och knappade in några kommandon på tangentbordet. "Det här är lite komplicerat, barn, men jag tror att jag kan göra en dubbel portal."

Innan de två vännerna hann säga något hade Kosmos öppnat
en portal till Freddys bondgård och Eric hoppat igenom den till
svinstian. Den jättestora grisen såg så chockad ut när Eric dök
upp ur tomma intet att han inte gjorde något som helst motstånd
när vetenskapsmannen försiktigt knuffade honom genom en
annan portal som Kosmos hade öppnat. Han lunkade muntert in
i den skogklädda dalen som fortfarande syntes på skärmen.

George och Annie tittade storögt på medan Freddy försvann
från bondgården genom portalen och dök upp i dalen, där han
kilade fram genom det tjocka gräset. Den friska luften fick det att
rycka i trynet och hans ögon glittrade igen.

Eric kom tillbaka genom portalen och stängde den hastigt
efter sig. "Vi ska återvända och titta till Freddy så snart vi
kan", sa han. George såg att han hade några små halmstrån
på sina manchesterbyxor. "Det är nog bäst att jag kontaktar
bondgården också, så att de inte grips av panik när de ser att en
gris har rymt."

"Vad tänker du säga till dem?" frågade Annie.

"Jag vet inte!" medgav Eric. "Men jag har trots allt lyckats
förklara hur ett universum kunde uppstå ur ingenting, så det
borde inte vara några problem att förklara en försvunnen gris!"

"Grisförflyttning slutförd", stod det på Kosmos skärm. "Grisen
är trygg och lycklig i sitt nya hem. Mat, vatten samt skydd mot
väder och vind på plats. Hotbild mot grisen: obefintlig."

"Och nu är det dags för mig att återgå till mitt arbete", sa Eric
med ett tonfall som barnen visste betydde att samtalet definitivt
var avslutat. "Jag måste förbereda en föreläsning jag ska hålla på

universitetet. Och ni två bör förbereda er på att återvända till skolan i morgon bitti."

De två vännerna strosade motvilligt ut ur Erics arbetsrum. Det här betydde att lovet var över. Annie hade en kväll på sig att göra läxorna hon hade skjutit upp under hela den långa sommaren. George insåg att det var dags för honom att återvända till sin riktiga familj. Han hoppades att bebisarna inte skulle gråta oavbrutet natten innan han gick till sin nya skola för första gången.

Annie suckade. "Hej då George."

"Hej då Annie", sa George sorgset. Nästa morgon skulle de båda två börja på olika skolor: Annie skulle gå i en privatskola och George i en annan skola i trakten.

"Varför måste vi gå i vanlig skola?" utbrast Annie när de dröjde sig kvar vid bakdörren. Ingen av dem ville ta nästa steg. "Varför kan vi inte börja i en skola för rymdforskning i stället? Vi skulle bli bäst i klassen direkt! Ingen annan skulle ha sett Saturnus ringar på nära håll eller varit nära att ramla ned i en metansjö på Titan!"

"Eller ha sett en soluppgång med två solar", sa George och tänkte på den varma planeten som kretsat runt en dubbelstjärna, som de en gång hade besökt av misstag.

"Det är inte rättvist!" sa Annie. "Att vi ska behöva låtsas vara vanliga barn när vi inte är det!"

"Annie!" sa Eric inifrån arbetsrummet. "Jag hör er! Barn som inte gör läxorna får inte resa ut i rymden alls! Så är reglerna, det vet du mycket väl!"

Annie grimaserade. "Må kraften vara med dig", viskade hon till George.

"Med dig också", sa George innan han vände sig om och traskade hem.

Kapitel fyra

Georges första dag i den nya skolan passerade i ett töcken av långa korridorer och förvirrad schemaläsning. Gång på gång hamnade han i fel sal, i grupper han inte tillhörde och bland barn som skulle ha lektioner i ämnen han inte hade valt.

Det var stökigt, förbryllande och lite otäckt i den enorma skolan. George undrade om det var så här Freddy hade känt sig när han förflyttats från den stillsamma, trygga världen i Georges trädgård till den lilla livliga bondgården för barn och sedan vidare till den enorma, läskiga nya bondgården. Det var inte konstigt att Freddy inte hade sett glad ut. Den första dagen i den nya skolan såg till och med de mest självsäkra barnen från Georges gamla skola vilsna och skrämda ut där de vandrade runt i den stora labyrinten och letade efter rätt sal. Det spelade ingen roll om man inte varit kompisar på den förra skolan – det var en enorm lättnad att se ett ansikte man kände igen bland alla de främmande eleverna som såg så skrämmande vuxna ut. Till och med svurna fiender blev plötsligt bästa vänner.

George hade just listat ut var han skulle vara när det blev dags att gå hem. Han gick ut genom grindarna. Förr, i den gamla skolan, hade han alltid dröjt sig kvar i tamburen varje eftermiddag tills de andra hade gått så att han kunde vara säker på att ingen skulle angripa honom under promenaden hem.

Det var förstås innan han hade lärt sig resa genom universum och lösa stora kosmiska mysterier. När George blivit vän med Annie och fått höra om alla underverk utanför planeten jorden hade han slutat oroa sig. Han hade trots allt stått öga mot öga med en galen vetenskapsman i ett avlägset solsystem. Efter det fanns det helt enkelt inte så mycket att vara rädd för.

Men det var inte bara resorna som hade förändrat Georges liv – kunskapen han fått under resorna hade gett honom styrka och mod. Han hade använt hjärnan för att lösa stora utmaningar och han visste att han kunde hantera det mesta.

När George gick hem tänkte han på Eric och äventyret med Freddy kvällen innan. Han funderade på om han skulle ta vägen förbi Eric och höra om de kunde titta till hans gris. George kunde inte förlåta sig själv för att han hade glömt att fråga var Freddy egentligen var någonstans. Den där dalgången hade sett härlig ut, men George visste inte ens om hans gris fortfarande var på planeten jorden eller om den sinnrike Kosmos hade fört honom till någon betydligt mer avlägsen plats som passade för jordiska livsformer. George var säker på att Eric visste var Freddy var, men det skulle kännas bättre om han visste det själv också.

När han hade kommit hem lade han ifrån sig skolväskan i hallen och skyndade genom huset. Han stannade hastigt för att

säga hej till sin mamma och sina två små systrar och roffa åt sig
en ärt- och kålmuffins som han åt upp i en enda tugga. (Georges
mamma lagade bara mat med grönsaker från det egna landet
och ibland hade hon konstiga idéer om vilka recept hon skulle
använda för grödorna.) Han sprang rakt ut genom bakdörren och
in i trädgården där Freddy en gång hade bott. Efter att ha hoppat
genom hålet i staketet mellan hans och Annies trädgård störtade
George vidare längs stigen till grannfamiljens bakdörr. Han
bultade på den, men fick inget svar. Efter en liten stund knackade
han igen.

Dörren öppnades några centimeter. Annie stod innanför. Hon hade precis kommit hem från skolan och hade på sig sin nya gröna skoluniform.

"Å, George!" sa hon. Hon verkade inte helt nöjd över att se honom.

"Hej Annie", sa George glatt. "Hur var det på din skola? Min var konstig, men jag tror att det ordnar sig."

"Öh, det var väl okej", svarade hon lågt. "Var det … något du ville?"

George var förvånad. Han hälsade på nästan hela tiden och hon hade aldrig någonsin frågat honom varför.

"Jo, ja", sa han lite förbryllat. "Jag tänkte fråga din pappa om han vet var Freddy är. Så att jag kan hälsa på honom."

"Pappa är inte här", sa Annie ursäktande. "Jag ska berätta för honom att du frågade, så kommer han säkert att mejla dig senare."

Sedan började hon faktiskt att stänga dörren mitt framför näsan på honom. George trodde knappt sina ögon. Vad stod på? Sedan förstod han.

"Vem är det?" frågade en äldre pojke bakom Annie.

"Det är … öh … en granne", sa Annie och såg från den ene pojken till den andre som om hon satt fast i en fälla. "Han vill träffa min pappa."

Hon öppnade dörren lite mer och nu kunde
George se den andre pojken. Han var längre än
både George och Annie, med spretigt svart hår
och ljusbrun hy. Precis som Annie så var han
klädd i grön skoluniform.

"Hej!" Han nickade till George över Annies
huvud. "Eric är tyvärr inte här. Du kan gå
hem igen. Vi ska berätta för honom att du har
varit här."

George kunde bara gapa klentroget.

"Jag heter Vincent, förresten", sa pojken
obekymrat.

"Vincent började också på min skola i dag",
sa Annie utan att möta Georges blick.

"Verkligen?" sa George förvånat. "Går ni i
samma klass?"

"Nej!" Vincent såg irriterad ut. "Jag är fjorton.
Jag känner Annie sedan tidigare."

"Gör du?" sa George.

"Vincents pappa är filmregissör", sa Annie blygt.

Det hördes på hennes tonfall att hon var superimponerad av
Vincent. "Han känner min pappa – han gjorde pappas nya TV-
serie."

"Filmregissör", sa George och kände sig besegrad. "Så trevligt.
Min pappa odlar ekologiska grönsaker", sa han och såg trotsigt på
Vincent.

"Kom igen, Annie", sa Vincent. "Vi måste rulla vidare."

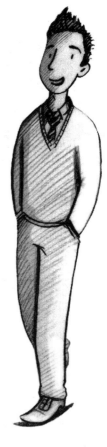

"Mamma ska skjutsa oss till skejtparken", förklarade Annie för George. "Vincent är proffsskejtare."

"Okej, rulla vidare, då", sa George och gjorde sitt bästa för att låta normal. "Rulla på, bara." Han vände sig om och gick tillbaka längs stigen tills han kom till hålet i staketet. Annie och Vincent stod fortfarande i dörröppningen och tittade efter honom.

George försökte obekymrat hoppa genom hålet i staketet, som han hade gjort så många gånger tidigare. Men det lyckades inte riktigt och han slog i träplankorna i stället och ramlade i backen med en duns. George kunde inte låta bli att se sig om. Annie och Vincent stod fortfarande kvar och tittade, vilket kändes fruktansvärt irriterande och orättvist. När han hade kommit till dörren hade de inte velat öppna den, men nu ville de inte gå sin väg.

George reste sig upp med så stor

värdighet han kunde och klev lugnt genom hålet och försökte
bete sig som om ingenting hade hänt. Inombords kände han sig
sårad och utelämnad. Det var första skoldagen och Annie hade
redan en ny vän att göra häftiga grejer med.

Och George?

Han hade varken Annie eller sin gris. Det kändes tomt och
ensamt. Han släpade sig hemåt och kände sig eländig.

Senare på eftermiddagen, efter att George hade gjort läxorna och
hjälpt sina föräldrar med lite hushållsarbete, bestämde han sig
för att kila över till grannhuset igen. Det kunde ju hända att Eric
hade kommit hem före Annie och proffsskejtaren Vincent.

George såg att bakdörren stod på glänt. Han sköt upp den
och smög in. Huset var tyst, mörkt och onaturligt kallt, som om
vintern hade satt igång där inne trots att det bara var tidig höst
utanför. Det verkade inte vara någon hemma. Men att bakdörren
stod öppen *måste* betyda att någon var där inne, tänkte George.
Han lyssnade uppmärksamt efter livstecken – ingenting.

I dunklet lade han plötsligt märke till ett blekblått sken som
letade sig ut under dörren till Erics arbetsrum. Han gick försiktigt
fram och knackade på.

”Eric!” sa han. ”Eric?” Han lade örat mot dörren. Han hörde
ingenting annat än något enstaka mekaniskt pipljud, vilket tydde
på att Kosmos arbetade inne i rummet.

George tvekade. Skulle han öppna dörren? Han ville inte störa
Eric om han arbetade på en viktig teori, men samtidigt kunde
det här vara hans enda chans att få tag på honom. Han tryckte

försiktigt upp dörren med fingerspetsarna.

Om man inte räknade superdatorn Kosmos som en person så var det ingen i Erics arbetsrum. Kosmos stod på sin vanliga plats på skrivbordet och blinkade som en julgran med alla sina lampor.

Från hans skärm lyste de två ljusstrålarna som Kosmos använde för att rita rymdportalen – dörren som hade tagit George och Annie på så många kosmiska resor. Mitt i arbetsrummet hängde dörröppningen mot världsrymden som ritats av de två

ljusstrålarna och nu hölls upp av en av Erics mockaskor.

Genom springan kunde George se ett ödsligt kratertäckt landskap under en becksvart himmel. Han lutade sig närmare för att skjuta upp dörren lite mer så att han kunde se bättre, men bländades av så starkt solsken att han fick skydda ögonen med armen.

Han backade undan från portalen och såg sig omkring i Erics arbetsrum. Plötsligt fick han syn på sin gamla rymddräkt, som låg på en fåtölj i ett hörn och var alldeles skrynklig. Han drog snabbt på sig den, kontrollerade nivån på syretanken och knäppte fast dräkten som Eric hade visat honom. Sedan gjorde han sig redo för att gå igenom öppningen ut i rymden.

Med händerna tryggt inneslutna i rymdhandskar sköt George upp dörren och blickade ut över månens yta – månen, som var den himlakropp som låg närmast jorden. Vidsträckta vidder av gråaktig mark sträckte ut sig mot horisonten. Alltihop badade i starkt solsken som kastade djupa skuggor över sprickorna.

Mellan portalen och bergen kunde George ana en pytteliten figur som studsade fram som en galning mot en krater i fjärran. Trots att den bar en heltäckande vit rymddräkt med tillhörande hjälm så var det något med de ojämna, muntra skutten som fick George att förstå att det måste vara Eric. På jorden brukade Eric strosa fram tankfullt som genom en dimma, men i rymden betedde han sig som om han hade befriats från jordens alla sorger och kunde hänge sig fullt åt universums underverk.

George tog ett djärvt steg framåt över tröskeln och satte först den ena stöveln och sedan den andra på månen. När han

lämnade planeten jorden bakom sig svävade han upp i luften och det krasade under hans fötter när han landade på månens yta igen. I månens låga gravitation kunde han hoppa mer än en halvmeter upp i luften bara genom att skjuta ifrån lätt med sina rymdstövlar.

MÅNEN

Fråga: *När bildades vår måne?*
Svar: Man räknar med att månen bildades för över 4 miljarder år sedan.

Fråga: *Hur bildades den?*
Svar: Forskare tror att ett föremål stort som en planet träffade jorden, vilket fick ett varmt moln av stoft och stenpartiklar att skickas ut i omloppsbana runt jorden. När molnet svalnade förenades beståndsdelarna så att månen bildades.

Fråga: *Hur stor är den?*
Svar: Månen är mycket mindre än jorden – det skulle få plats ungefär 49 månar i jorden. Dessutom har den lägre gravitation. Om man väger 50 kg här på jorden så väger man mindre än 9 kg på månen!

Fråga: *Har månen en atmosfär?*
Svar: Nej. Det är därför himlen alltid är mörk på månen, vilket innebär att stjärnorna alltid är synliga så länge man befinner sig i skugga.

Fråga: *Hur förklarade man månen innan forskarna upptäckte hur den bildades?*
Svar: För länge sedan trodde människan på jorden att månen var en spegel, eller kanske en skål med eld på natthimlen. Under många århundraden trodde människan att månen kunde påverka livet på jorden genom magiska krafter. På ett sätt hade de rätt – månen påverkar faktiskt jorden, men inte genom magi. Månens dragningskraft påverkar jordens hav och ger upphov till tidvatten.

MÅNEN

Fråga: Kan det finnas liv på månen?

Svar: Ingenting kan överleva på månen – så länge det inte har rymddräkt. Men tröstpriset är att det finns växande bevis för att månen innehåller mycket mer vatten, grundförutsättningen för det liv vi känner till, än forskarna trodde för bara några år sedan. Det är dock fruset, så eventuella utvandrare från jorden skulle behöva lägga ned stora resurser på att förvandla vattnet till dess livsnödvändiga flytande form.

Fråga: Har vår måne någonsin haft besök från andra civilisationer?

Svar: Vår närmaste himlakropp har besökts 12 gånger av astronauter från jorden. Mellan 1969 och 1972 promenerade 12 NASA-astronauter på månens yta. Är det möjligt att månen, innan den mänskliga civilisationen ens uppstod, besöktes av utomjordingar som lämnade kvar någonting? Kan rymdvarelserna ha kommit så nära oss som "nästgårds"? Det hela är (väldigt, väldigt) långsökt, men vissa forskare på jorden har börjat studera månmaterial på nytt för att se om det innehåller några ledtrådar.

"Hallå jordbor!" ropade George och tog
några språng framåt. Han visste att
ingen på jorden kunde höra honom,
men han var ändå tvungen att säga
något för att fira sina första steg på
månen. Mot den mörka himlen såg
hans hemplanet ut som en blågrön
juvel som fläckades av vita moln.

Trots att både Annie och George
hade varit på spännande kosmiska
äventyr förut så var det här första gången
George såg sin hemplanet på så nära håll.

Från Mars hade jorden bara sett ut som en pytteliten lysande
prick på himlen.

Från Titan hade George och Annie inte kunnat se jorden
alls genom de tjocka, gasfyllda molnen på den märkliga, frusna
månen till Saturnus.

Och när de slutligen kommit till solsystemet Cancri 55 hade
jorden varit helt och hållet dold för deras blickar. Till och med
om de hade använt ett teleskop på det avståndet så skulle de bara
ha kunnat ana att jorden var där genom en liten skiftning i färgen
på ljuset från vår sol, stjärnan i mitten av vårt solsystem. På
månen var George däremot tillräckligt nära för att se detaljerna
på sin hemplanet men tillräckligt långt bort för att beundra dess
skönhet.

Efter att ha stått och tittat fascinerat en stund studsade han
iväg åt Erics håll och tillryggalade snabbt sträckan mellan dem.

När han nådde fram till vetenskapsmannen hade Eric försvunnit ned i den grunda kratern. Han höll på att studera en dammig maskin som verkade sitta fast där nere.

"Eric!" ropade George genom sin radio. "Eric! Det är jag, George!"

"Mäktiga gravitationsvågor!" utbrast Eric chockat och blickade upp från den trasiga månfarkosten. "Där skrämde du mig verkligen! Jag räknade inte med att träffa på någon annan här uppe." Han hade inte hört det höga tjutet av lycka när George först stått på månen, för Georges radio hade varit utom räckvidd.

"Jag gick in i arbetsrummet och dörren stod öppen", förklarade George. "Vad gör du här?"

"Jag hade bara tänkt promenera här på månen i någon minut eller så", sa Eric lite skamset. "Kanske ta med en sten och titta lite närmare på den. Jag har en teori om utomjordiska civilisationer som jag vill utveckla. Om vi besöktes av utomjordingar någon gång i det förflutna – låt säga för hundra miljoner år sedan – så borde de ha lämnat spår någonstans. Jag tror inte att någon har undersökt material från månen för att se huruvida det finns spår av utomjordiska besök. Jag vill studera månmaterial med nya ögon och se om det finns några livstecken i det. Ingen har tidigare gjort något liknande så jag tänkte att jag skulle prova själv. Och titta vad jag hittade medan jag letade material! Det är en månbil!"

"Fungerar den fortfarande?" George klättrade snabbt ned till platsen där Eric stod. Det såg ut som om en strandjeep hade kraschat och lämnats kvar på månen. Eric satte sig i förarsätet

medan George tankfullt tittade på farkosten.

"Kan du starta den?"

"Batterierna är nog ganska urladdade vid det här laget", sa Eric och skrubbade bort lite damm från bilen med ärmen på sin rymddräkt.

"Det finns ju ingen ratt", noterade George. "Hur kör man den?"

"Bra fråga!" Eric borstade av sina ärmar mot benen så att det blev långa, grå spår av måndamm på hans vita rymddräkt. "Det måste finnas något sätt att starta den på …" Han fumlade lite med en T-formad spak mellan framsätena. Men ingenting hände. Spaken verkade sitta i en kontrollpanel. Eric petade bort måndammet runt den med tummen på sin rymdhandske så att en rad brytare märkta "Ström", "Motor" och "Motorström" blev synliga. "Aha!" sa Eric muntert. "Houston, vi har hittat svaret!"

George hoppade in i bilen bredvid Eric. "Vad gör brytarna?" frågade han nyfiket. "Kan vi ta reda på det?" Han hoppades att Eric inte skulle ge ett trist, vuxet svar och förklara att de inte fick pilla på någon annans månbil. Men Eric gjorde honom inte besviken.

"Visst kan vi det!" svarade Eric. Han tryckte på brytarna en efter en och sköt sedan fram spaken så att bilen plötsligt hoppade framåt. Den oväntade rörelsen kastade dem båda två upp i luften och ut ur fordonet.

"Den fungerar!" ropade Eric och klättrade tillbaka in. "George, kan du knuffa på där bak medan jag kör ut ur kratern? Eftersom månen saknar gravitation så borde det vara enkelt."

"Varför måste *jag* knuffa?" grymtade George. "Varför kan jag inte få köra den?" Men han ställde sig ändå bakom månbilen och tog spjärn. Eric tryckte fram spaken igen. Bilens hjul började rotera mot marken så att en skur av damm och mångrus sprutade upp på George.

"Knuffa hårdare!" ropade Eric. George tog i allt han orkade och månbilen kämpade sig ut ur kratern och upp på det platta månlandskapet.

"Så där, ja!" sa Eric. Han gnuggade belåtet sina handskprydda händer och hoppade ut ur förarsätet. "Det där var bättre." Han klappade månbilen av beundran. "Vilken fantastisk maskin! Den kan inte ha använts på fyrtio år och den fungerar fortfarande! Det kallar jag bil."

"Vems är den?" frågade George, som vid det här laget var täckt från topp till tå i mångrus och damm.

"Jag skulle tro att den lämnades i samband med Apollolandningarna", sa Eric. "Titta där borta! Det måste vara månlandarens landningssteg." Eric pekade mot ett fyrbent föremål i fjärran. "Det här är ett stycke rymdhistoria."

Det var tyst en kort stund medan de båda stirrade i förundran på vad de hade hittat. Sedan verkade Eric plötsligt inse att han faktiskt stod på månen tillsammans med sin granne, en skolpojke som hette George.

"George, vad *tänkte* du på som följde efter mig till månen?" frågade han.

"Jag tänkte bara fråga om Freddy", förklarade George. "Du

berättade aldrig var hans nya hem ligger – jag vet ju inte ens vilken planet han är på!"

"Kvasarer och pulsarer!" utbrast Eric och tog sig för rymdhjälmen med handsken. "Det gör inte jag heller! Vi får fråga Kosmos. Men oroa dig inte – vi vet ju att Freddy är helt trygg och mår bra – vi måste bara ta reda på *var* han är! Var det någonting mer jag glömde?"

Eric var känd för att glömma saker, vilket han själv brukade medge. Han glömde aldrig bort någonting viktigt, som sina teorier om universum, men han glömde ofta bort vardagliga ting

som att ta på sig strumporna eller äta lunch.

"Nja, inte riktigt som du glömde", förklarade George. "Men det var en sak jag ville fråga."

"Vad då?" sa Eric.

"Ditt arbete ... det där med att undersöka universums uppkomst. Kan det vara farligt?"

"Nej, George", sa Eric bestämt. "Det är inte farligt. Faktum är att det vore betydligt farligare att *inte* undersöka universums uppkomst – att ägna sig åt spekulationer snarare än fakta angående varifrån vi kommer och vad vi gör här. *Det* är farligt."

Eric svepte med armen och pekade mot de karga bergskedjorna,

den djupsvarta himlen och jordens
blågröna pärla som hängde över
månlandskapet. "Det vi försöker göra är
att förstå hur vårt fantastiska universum
uppstod. Vi vill veta hur och varför alla
dessa miljarder stjärnor, de oändliga
och vackra galaxerna, planeterna, svarta

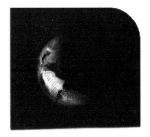

hålen och den otroliga variationsrikedomen i livet på planeten
jorden uppkom. Hur började allt? Vi försöker gå tillbaka till
den stora smällen för att hitta svaret. Det är det den del av
rymdforskningen som kallas kosmologi handlar om: att studera
universums ursprung. LHC-acceleratorn hjälper oss att återskapa
de första ögonblicken i tidens begynnelse så att vi bättre kan
förstå hur universum bildades.

Det vi gör är inte farligt och det är inte själva LHC-
acceleratorn heller. Den enda riktiga faran kommer från

människorna som försöker stoppa oss. Varför vill de inte att vi löser mysterierna med universums uppkomst? Varför vill de att människor ska vara skrämda och rädda för naturvetenskapen och allt den kan göra för oss? Det är det som är den riktigt stora gåtan för mig, George." Eric lät en aning frustrerad.

"Men tror du att de där typerna kommer att försöka skada dig och de andra vetenskapsmännen?" frågade George.

"Nej, det tror jag inte", sa Eric. "De kommer bara att smyga omkring och vara irriterande – de är inte ens modiga nog att visa sina ansikten, så jag tror inte att vi har så mycket att frukta från dem. Glöm bort dem, George. De är bara en skock nollor."

George kände sig mycket bättre till mods nu – både vad gällde Freddy *och* universums ursprung. Nu verkade ingenting så illa trots allt. Han och Eric vände om och studsade tillbaka mot portalen som fortfarande glimmade i fjärran. Normalt sett stängde de portalen medan de var ute på rymdäventyr, men eftersom Eric bara hade tänkt vara borta i några minuter så hade han stöttat upp den med en gammal sko.

Innan de kom fram till dörröppningen tog Eric fram sin rymdkamera ur fickan. "Vi måste ta ett kort! Säg 'cheese'! Månen är gjord av ost!" Han höll upp kameran tog några bilder på dem medan George gjorde tummen upp med båda händerna.

"Kommer det inte märkas att vi har flyttat månbilen?" frågade George när Eric lade ned sin kamera igen.

"Bara om någon tittar väldigt noga", sa Eric. "Den här delen av månen är inte föremål för ständig bevakning. Det var därför jag bedömde att den var säker att landa på."

"I vilket fall som helst så borde de vara nöjda", påpekade
George. "Vi tog ju upp deras bil ur ett hål i marken och fick den
att fungera igen."

"Vänta lite", sa Eric när han lyfte blicken mot himlen. "Det
där ljuset där borta – *det* är ingen komet!" En ljuspunkt rörde sig
mot dem över den mörka himlen.

"Vad är det för något?"

"Jag vet inte ... men vad det än är så är det byggt av
människor – så det är hög tid att vi beger oss härifrån. Jag har

det material jag behöver – nu sticker vi!"

Eric och George hoppade tillsammans genom Kosmos rymdportal tillbaka till platsen där nästan alla deras rymdäventyr hade börjat.

Universums uppkomst

Det finns en mängd olika berättelser om hur världen började. Enligt folkgruppen bushongo i centrala Afrika var till exempel mörker, vatten och den store guden Bumba allt som fanns i tidernas begynnelse. En dag när Bumba hade ont i magen kräktes han upp solen, som torkade upp en del av vattnet så att fastlandet bildades. Bumba hade fortfarande ont och fortsatte med att kräkas fram månen, stjärnorna och några djur – leoparden, krokodilen, sköldpaddan och slutligen människan.

Andra folk har andra berättelser. Dessa var tidiga försök att besvara de stora frågorna:

- Varför är vi här?
- Var kommer vi ifrån?

Det första vetenskapliga belägget som kan användas för
att besvara dessa frågor upptäcktes för cirka 80 år sedan.
Man lade då märke till att andra galaxer rör sig bort
från oss. Universum expanderar; galaxer glider längre
och längre ifrån varandra. Det innebär att galaxerna var
närmare varandra i det förflutna. För nästan 14 miljarder
år sedan befann sig universum i ett väldigt hett och
kompakt tillstånd som kallas den stora smällen.

Universum började med den stora smällen och
expanderade sedan fortare och fortare. Detta kallas
inflation, precis som när priserna i affärerna stiger och
stiger. Inflationen under universums tidiga skede gick
dock mycket fortare än prisinflationer: vi skulle tycka
att inflationen var hög om priserna fördubblades på ett
år, men universums storlek fördubblades flera gånger
om på en bråkdels sekund.

Inflationen gjorde universum väldigt stort och
väldigt jämnt och plant. Men helt jämnt var det inte:
det fanns pyttesmå avvikelser från plats till plats
i universum. Dessa avvikelser gav upphov till små
skillnader i temperaturen i det tidiga universum, vilket
vi nu kan se i den kosmiska bakgrundsstrålningen.
Variationerna innebär att vissa regioner kommer
att expandera lite långsammare än de andra. Dessa
långsammare områden kommer till sist att sluta
expandera och kollapsa på nytt så att galaxer och
stjärnor bildas. Det är tack vare dessa variationer vi
existerar. Om det tidiga universum hade varit helt
jämnt så skulle det inte finnas några galaxer och
stjärnor och då hade inget liv kunnat utvecklas.

Stephen

Vår vackra hemplanet jorden med sin enda måne.

Stephen Clark/Spaceflightnow.com

En meteor far över jorden medan rymdfärjan står redo för start, vilket påminner oss om hur stort det universum vi försöker utforska är.

Ovan:
Månnedgång med månskära i fjärde
kvarteret, sedd från den internationella
rymdstationen ISS. Den tunna linjen är
jordens atmosfär.

Till höger: Utforskning
av månens yta med månbil.

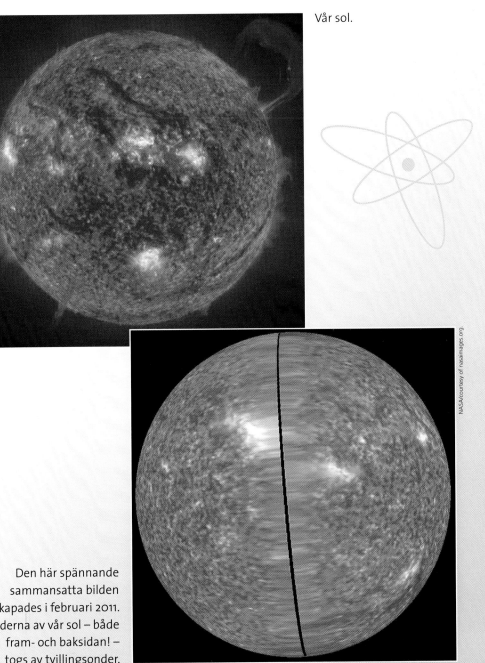

ESA/NASA/SOHO

Vår sol.

NASA/courtesy of nasaimages.org.

Den här spännande
sammansatta bilden
skapades i februari 2011.
Bilderna av vår sol – både
fram- och baksidan! –
togs av tvillingsonder.

VÅR JORD SEDD FRÅN RYMDEN

NASA/courtesy of nasaimages.org.

Simenbergen i Etiopien i Afrika.

Cosigüinavulkanen
i Nicaragua i
Sydamerika.

Orkanen Danielle i augusti 2010.

Nationalparken Great Sand Dunes National Park and Preserve i Colorado i USA.

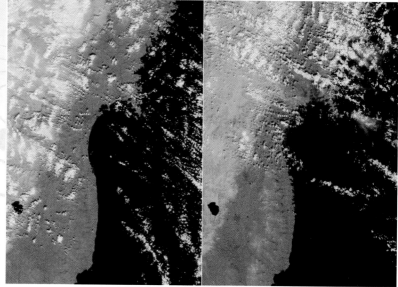

De fruktansvärda
konsekvenserna
av tsunamin
och jordskalvet i
Japan i mars 2011.

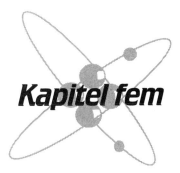

Kapitel fem

De tumlade tillbaka in i vetenskapsmannens stökiga arbetsrum. De hade fått sådan fart när de fått syn på den mystiska satelliten att de ramlade omkull i en enda dammig röra av rymddräkter som en gång hade varit vita.

"Portalen är stängd", förklarade Kosmos. "Ni är nu tillbaka på den tredje stenen från solen."

"Kosmos, din IQ är mer än oändlig", sa George, som visste hur mycket superdatorn uppskattade komplimanger.

Kosmos skärm blev rosenröd, som den alltid blev när han rodnade. "Trots att det rent tekniskt är omöjligt så måste jag ändå medge att jag håller med dig", sa han.

Så fort George hade kommit på fötter började han att krångla sig ur sin rymddräkt. Snart låg den på golvet och såg ut som larvens kokong efter att fjärilen har tagit sig ut. Eric svepte omsorgsfullt in sina bitar av det värdefulla månmaterialet. Han hade fortfarande sin rymddräkt på sig. Plötsligt hörde de fotsteg utanför dörren.

"Snabbt!" väste Eric. "Göm din rymddräkt!"

George tryckte in dräkten i den stora garderoben i arbetsrummets ena hörn. Luften var fortfarande full av virvlande dammpartiklar från månen.

"Hallå!" ropade Eric med ganska hög röst. "Är det du, Susan?" Efter det förra äventyret, när de varit nära att inte kunna återvända från ett avlägset solsystem som låg fyrtioen ljusår bort, hade Annies mamma Susan förbjudit barnen att följa med Eric ut i rymden.

"Hej, ja, det är vi", sa Susan. Hon kom inte in i arbetsrummet utan gick mot köket i stället. Ljudet av klampande fötter tydde på att även Annie var tillbaka.

"Oj, vad det var häftigt!" ropade hon och slog upp dörren till arbetsrummet. "Pappa, kan inte jag få en skateboard i födelsedags...?" Hon stannade förvånat till. "Varför har du på dig ... rymddräkt?" frågade hon. "Och varför är George här?"

"Sch!" sa hennes pappa snabbt.

"Nej! Du har väl inte ... det *har* du! Har du varit i rymden utan mig?" Hon blängde på George.

"Du var ju i skejtparken", sa han vänligt. "Och du sa att det var häftigt. Jag slår vad om att parken var mycket häftigare än *månen*."

Annie såg ut som om hon skulle få ett utbrott. Eric såg bara förbryllad ut, ungefär som om barnen talade vulcan och han hade glömt att koppla på sin översättare.

"Jag måste gå nu", sa George. "Middagsdags. Hej då Annie. Hej då Eric. Hej då Susan!"

"Glöm inte att du ska följa med oss på föreläsningen i morgon kväll, George!" ropade Susan efter honom när han rusade ut genom bakdörren. "Vi har din biljett ..."

Nästa dag gick George förbi Annies hus före Erics föreläsning på universitetet, precis som de hade kommit överens om. Annie var inte glad över att se honom.

"Hur var det på månen?" frågade hon surt när de tog på sig sina cykelhjälmar. "Eller vänta – du behöver inte svara. Jag slår vad om att det var helt värdelöst."

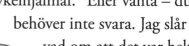

"Men du var ju i skejtparken", protesterade George. "Med Vincent. Du bad inte *mig* att följa med!"

"Du sa inget om att du ville det!" muttrade Annie och hoppade upp på sin cykel. "Du har aldrig berättat att du åker skateboard! Men du *visste* att jag ville resa till månen. Hellre än någonting annat! Det finns inget annat ställe i hela universum som jag hellre vill åka till. Och du reste dit utan mig! Du är ingen riktig kompis!"

George insåg att det var någonting enormt orättvist i Annies beteende, men han visste ändå inte riktigt vad han skulle svara. Varför var hon arg på honom för att han hade gjort något med Eric medan hon ändå haft något annat för sig? Medan hon haft kul tillsammans med Vincent, regissörssonen? Men George kunde inte fråga det. I stället cyklade han omkring i upproriska cirklar framför huset tills Susan kom ut med en stor pappkartong

som hon balanserade försiktigt på sitt styre.

"Kom nu, hör ni!" sa hon muntert. Hon tycktes fast besluten om att strunta i att Annie och George verkade urless på varandra.

De cyklade tillsammans till stadens centrum. Institutionen för matematik hade i flera hundra år huserat i en stor byggnad längs en smal gata i hjärtat av det gamla Foxbridge. Men när de lämnade cykelvägen för att följa gatan upptäckte de att den var så full av människor att de inte hade något val – de var tvungna att kliva av cyklarna och leda dem.

"Vilka är alla de här människorna?" frågade Annie medan de försökte tränga sig fram genom myllret.

"Vi lämnar cyklarna här", sa Susan och pekade på ett cykelställ. "Jag tror inte att vi kan komma så mycket närmare institutionen

med dem." De låste cyklarna och banade sig sedan fram genom trängseln mot ingången. En stentrappa ledde upp till ett par dubbeldörrar av glas som kantades av pelare. Framför dörrarna stod en universitetsanställd och blickade oroligt ut över trängseln nedanför.

"De har allihop kommit hit för att lyssna på din pappa!" sa George till Annie när han trängde sig fram uppför trappan efter Susan. "Titta! De försöker komma in i byggnaden!" Människorna trängdes och knuffades runt dem för att nå fram till den gamla stenbyggnaden med inskriptionen "AD EUNDEM AUDACTER" ovanför ingången.

"Men varför?" mumlade Annie som kämpade för att hålla jämna steg med George. "Varför har det kommit så många människor för att lyssna när min pappa pratar om matte?"

De tog sig upp för trappan till platsen där vakten stod. Han höjde omedelbart handen för att hejda dem.

"Vi kan inte släppa in fler personer till professorns föreläsning!" snäste han.

"Ursäkta mig", sa Susan artigt. "Men jag är professor Bellis fru. Det här är hans dotter Annie och hennes vän George. Vi ska hjälpa till med förberedelserna i salen inför Erics föreläsning."

"Å, förlåt, fru Bellis", sa mannen ursäktande. "Vi brukar normalt sett inte ha vakter utanför institutionen för matematik – det brukar sällan råda sådant tumult på det här stället!" Han tog fram en näsduk och torkade sig i pannan. "Det verkar som om din make har blivit ganska känd."

När Susan och de två barnen vände sig om för att titta på de väntande människorna steg ett sorl från dem som hade samlats längst bort.

"Stoppa förbrytaren! Stoppa forskaren!" skanderade de. Det var en liten grupp svartklädda personer med masker som stod och viftade med banderoller. "Låt inte vetenskapens framsteg förstöra vårt universum!"

Universitetsvakten såg skräckslagen ut och pratade snabbt i sin kommunikationsradio. "Matteinstitutionen här – skicka

förstärkning! Kom in, fru Bellis." Han öppnade dörren och släppte in Susan och barnen. "Vi kommer att ta hand om dem", muttrade han allvarligt. "Vi tolererar inte sådant här beteende i Foxbridge. Det får helt enkelt inte förekomma här."

Kapitel sex

Så snart de hade kommit in drog Susan snabbt undan de stirrande barnen från dörrarna och in genom entrén. De gick in i den stora hörsalen. "Strunta i vad som händer där ute", sa Susan lugnt. "Lägg en sådan här på varje plats." Hon gav Annie och George var sin pappkartong med flera dussin par mörka glasögon.

Allt var nästan klart inför att Eric skulle kliva upp på podiet och hålla sin allra första offentliga föreläsning som ny matematikprofessor vid Foxbridges uråldriga och lysande universitet.

Annie och George gick fram och tillbaka mellan raderna och lade omsorgsfullt ett par glasögon på varje plats. Annie hade för en gångs skull blivit riktigt skärrad och hon darrade fortfarande lite när hon tänkte på demonstranterna utanför.

"Vad är det egentligen som händer, mamma?" frågade hon. "Kommer de där människorna från TOARING – organisationen som pappa berättade om?"

"Jag vet inte", svarade hennes mamma stillsamt. "Men de verkar ha invändningar mot din fars experiment för att utforska universums uppkomst. De tror att sådana experiment är alldeles för farliga och borde stoppas."

"Men det är helt vansinnigt!" sa George. "Vi vet ju att Erics experiment är säkra! Och de kan visa oss hur universum faktiskt uppstod. De är typ de sista bitarna i ett pussel som forskarna har hållit på med i evigheter! Vi kan inte bara kasta bort den sista biten innan vi har sett helheten."

Nu hade de arbetat sig fram längs alla platserna, från dubbeldörrarna längst bak i salen till den främsta raden alldeles framför podiet där Eric skulle tala. Plötsligt flög dörrarna upp och en lång pojke kom susande mot dem. Han hoppade av sin skateboard och landade bredvid George. Hjulen på brädan snurrade fortfarande när han fångade den i händerna.

"Ta-da!" sa han.

"Vincent!" pep Annie förtjust. "Jag hade ingen aning om att du skulle komma. Vad skönt att åtminstone ha *en* kompis här!" Hon såg menande på George.

"Jag trodde att dörrarna var låsta", mumlade George surt. Han önskade att de fortfarande var det.

"De öppnade dem precis. Jag skejtade förbi hela kön", sa han och pekade på sin bräda.

"Har de där svartklädda typerna försvunnit?" frågade Annie. Nu började föreläsningssalen fyllas av beundrare som satte sig ned och undersökte de mörka solglasögonen och funderade på varför de skulle behövas.

"Ja, de har dragit", sa Vincent. "Knäppisar. Vad sysslade de med? 'Stoppa förbrytaren' – vilka idioter!"

Annie log mot Vincent på ett sätt som fick George att vilja rycka henne hårt i hästsvansen bara för att få bort det ansiktsuttrycket.

"En av dem försökte prata med mig", sa Vincent. Han tryckte sin bräda upp och ned med vänster fot.

"Vad sa han?" frågade George.

"Jag begrep inte riktigt", medgav Vincent. "Han hade på sig en mask, så det måste ha varit som att försöka prata genom en yllestrumpa. Men det lät som om han försökte få fram ett ord."

"Vad då för ord?" frågade George nyfiket.

Vincent gav honom en försiktig blick. "Om jag ska vara helt ärlig så lät det som om han försökte säga ditt namn. Det lät som om han sa 'George'."

"Men varför skulle en av demonstranterna säga 'George'?" frågade Annie förbryllat.

"Det är ju inte *säkert* att han sa 'George'", sa Vincent förståndigt. "Det kanske bara lät så. Eller så betyder det ordet någonting annat på de svartklädda knäppgökarnas språk. Min pappa har alltid svårt att gå på sina filmpremiärer", skröt han. "Man är egentligen ingen alls om man inte har åtminstone några tokiga fans. Det hör liksom till när man är känd!"

"Å", sa Annie med beundran. "Filmpremiärer. Det måste vara sjukt kul att få gå på filmpremiärer!"

"Mm", instämde George lite frånvarande. "Sjukt kul." Han var inte ens sarkastisk. Han var alldeles för upptagen med att undra varför en demonstrant skulle ha sagt hans namn. Det måste finnas något samband mellan de konstiga människorna i den övergivna tornkällaren och folket som demonstrerade utanför matematikinstitutionen just nu, tänkte han. De där ansiktslösa människorna i mörka kläder var de enda som kunde kalla Eric förbrytare. De trodde att hans arbete var så farligt att det kunde slita sönder universum på några minuter. Men hur kunde någon i det sällskapet känna till Georges namn? Hur kunde …?

I samma ögonblick slogs ljuset i salen på och av några gånger och en ansiktslös röst – som George och Annie kände igen som Kosmos röst – bad alla att sitta ned.

”Mina damer, herrar, barn och kosmiska resenärer”, fortsatte rösten. ”I dag ska ni få ge er ut på en resa som inte liknar någon annan ni någonsin kommer att få uppleva. Gör er redo, mina damer och herrar och unga resenärer! Gör er redo att möta universum!”

Och med de orden blev det alldeles mörkt i salen.

Kapitel sju

George, Annie och Vincent satte sig hastigt på sina platser. De befann sig längst ut på kanten av första raden och det fanns bara en tom plats bredvid Georges. Resten av salen var proppfull – det fanns inte en enda annan ledig plats. Några hostningar och harklingar hördes i församlingen innan det blev tyst.

"Mina kosmiska resenärer", sa Kosmos. Hans röst dånade pampigt i den fullsatta salen. "Vi har flera miljarder år att avhandla. Gör er redo! Redo att återvända till tidernas begynnelse, för att förstå hur allting började."

"Var vänliga och ta på er era mörka glasögon", fortsatte han. "Vi kommer att visa starkt, klart ljus och vill inte skada era ögon." En punkt av bländande ljus, stor som ett knappnålshuvud, visade sig mitt i det kompakta mörkret. George insåg att sätet bredvid honom inte längre var tomt. En man hade smugit fram och satt sig ned. George vred huvudet för att titta på honom samtidigt som Kosmos sköt ut en kraftig ljusblixt som lyste upp hela salen. Den varade precis tillräckligt länge för att George

skulle hinna se mannen som satt bredvid honom. Han hade på sig ett par väldigt ovanliga glasögon med glas som var klargula i stället för genomskinliga eller mörka.

George hade bara sett sådana en gång förut. Eric hade haft på sig ett par likadana gula glasögon när George, Annie och Kosmos räddat vetenskapsmannen från ett svart hål. De hade inte varit hans och mysteriet med vad de märkliga glasögonen gjort mitt i ett supermassivt svart hål hade aldrig lösts.

"Var fick du tag på de där glas…", började George, men hans röst dränktes av Kosmos.

"Vår berättelse börjar för tretton komma sju miljarder år sedan." Den lilla ljusfläcken svävade ovanför deras huvuden medan Kosmos talade och det var återigen alldeles mörkt i salen. "Allt vi nu kan se i universum – samt allt vi inte kan se eftersom det är osynligt – började som en pytteliten prick, mycket mindre än en proton."

"Utrymmet som fanns var så litet att allt var hoptryckt. Om vi blickar tillbaka i tiden så långt vi kan så kommer vi till ett ögonblick då villkoren var så extrema att fysiken inte längre kan beskriva precis vad som hände. Men det verkar som om

världsrymden som vi känner den uppstod vid nollstorlek för tretton komma sju miljarder år sedan och sedan expanderade."

Ljuspunkten växte väldigt hastigt, som en ballong som blåstes upp. Ballongen var halvgenomskinlig och det gick att urskilja ljusstarka virvlande mönster som rörde sig över ytan. För övrigt verkade den inte innehålla något.

"Den här varma sörjan kommer att bli vårt universum", fortsatte Kosmos. "Lägg märke till att universum endast är globens yta – det här är en tvådimensionell modell av det tredimensionella rummet. När sfären växer expanderar ytan och innehållet sprids ut.

Tiden började också tillsammans med rummet. Det här är den traditionella bilden av den stora smällen, där allting, inklusive tiden och rummet, uppstår väldigt plötsligt i historiens begynnelse.

Ovanför deras huvuden exploderade ballongen och åhörarna tycktes försvinna i den varma, virvlande ytan. De dansande färgerna virvlade runt, blev svagare och löstes upp som ett moln så att det återigen blev helt mörkt i salen. Ett fascinerat sus drog genom lyssnarskaran.

Efter en liten stund började svaga ljusfläckar att röra sig över det mörka taket. Fläckarna formades långsamt till galaxer som spred sig utåt och bort från varandra tills allihop hade försvunnit och det återigen var mörkt.

"Var det verkligen så här?" frågade Kosmos. "Vissa forskare frågar sig om den stora smällen verkligen *var* historiens begynnelse. Vi vet inte säkert, men låt oss ta upp tråden en

bråkdel av en bråkdels sekund efter den stora smällen, när hela
det observerbara universum var hoptryckt i ett utrymme som var
så litet att det var mindre än en proton."

"Föreställ dig …", började en annan röst och en strålkastare
avslöjade Eric, som stod vid podiets kant med ett brett leende på
ansiktet. En dånande applåd fyllde hörsalen. "Föreställ dig att du
sitter inuti universum under den här mycket tidiga perioden …"

Föreställ dig att du sitter inuti universum under den här mycket tidiga perioden (du hade naturligtvis inte kunnat sitta *utanför* universum!). Du behöver vara extremt stryktålig på grund av de enorma temperaturerna och det fruktansvärda trycket i den stora smällens virrvarr. På den tiden var all materia som vi ser runt omkring oss i dag hoptryckt inom ett område som var mycket mindre än en atom.

Det har gått en bråkdels sekund sedan den stora smällen, men allt ser ungefär likadant ut i alla riktningar – inget eldklot expanderar utåt i vansinnesfart, utan hela världsalltet fylls av ett hett hav av materia. Vad är detta för materia? Det är vi inte säkra på – det kan röra sig om partiklar av en typ som inte förekommer längre; det kan även handla om små öglor av "strängar". Vad det än är så är det ett "exotiskt" material som vi inte kan vänta oss att få se i dag ens i våra största partikelacceleratorer.

Det pyttelilla havet av extremt varm materia expanderar i takt med att rummet det fyller utvidgas – materian flödar bort från dig i alla riktningar och havet blir allt mindre kompakt. Ju längre bort materien kommer, desto mer expanderar rummet mellan dig och materien och desto snabbare rör sig därför materien bortåt. Materialet längst ut i havet rör sig faktiskt bort från dig i en hastighet som överträffar ljuset.

Många komplicerade förändringar inträffar nu väldigt snabbt – under den allra första sekunden efter den stora smällen. Pytteuniversumets expansion gör det möjligt för den varma exotiska vätskan i det lilla havet att svalna. Detta ger upphov till plötsliga förändringar, som när vatten förändras när det fryser till is.

Medan vårt tidiga universum fortfarande är betydligt mindre än en atom så orsakar en av förändringarna i vätskan en ofantlig ökning av expansionens hastighet som kallas inflationen. Universums storlek fördubblas och fördubblas sedan på nytt, om och om igen, tills det har fördubblats ungefär 90 gånger. Det har då ökat från subatomär till mänsklig skala. Den här enorma utsträckningen är ungefär som när man sträcker ut ett sängöverkast. Alla större ojämnheter i materialet slätas ut så att det universum vi till sist ser är väldigt jämnt och nästan likadant i alla riktningar.

Å andra sidan så sträcks även mikroskopiska krusningar i vätskan ut och blir mycket större. Det är dessa som senare utlöser bildandet av stjärnor och galaxer.

Inflationen slutar plötsligt och frigör en stor mängd energi som skapar ett vågsvall av nya partiklar. Den exotiska materien har försvunnit och ersatts av mer välbekanta partiklar – kvarkar (byggstenarna för protoner och neutroner, även om det fortfarande är för varmt för att sådana ska kunna bildas), antikvarkar, gluoner (som flyger mellan både kvarkar och antikvarkar), fotoner (partiklarna som ljus består av), elektroner och andra partiklar som är välkända för fysiker. Det kan också finnas partiklar som tillhör den mörka materien, men trots att det verkar som om sådana måste förekomma så förstår vi dem inte än.

Vad hände med den exotiska materien? En del av den slungades bort från oss under inflationen, till delar av universum som vi kanske aldrig får se. En del föll sönder i mindre exotiska partiklar när temperaturen sjönk. Materien runt omkring är nu betydligt mindre varm och kompakt än den var tidigare, men den är fortfarande mycket varmare än någon materia som existerar i dag (inklusive den inuti stjärnor). Universum fylls nu av en varm, självlysande dimma (eller plasma) som huvudsakligen består av kvarkar, antikvarkar och gluoner.

Expansionen fortsätter (i mycket långsammare tempo än under inflationen) och till sist sjunker temperaturen tillräckligt för att kvarkarna och antikvarkarna ska kunna hopa sig i grupper om två eller tre och bilda protoner, neutroner och andra partiklar av en typ som kallas hadroner, samt antiprotoner, antineutroner och andra antihadroner. Än så länge är det dock inte mycket som går att se genom den självlysande dimmiga plasman när universum nu är en sekund gammalt.

Under sekunderna som följer exploderar ett fyrverkeri när större delen av materien och antimaterien som hittills har bildats utplånar varandra och ger upphov till störtfloder av nya fotoner. Dimman består nu främst av protoner, neutroner, elektroner, mörk materia och (framför allt) fotoner, men de laddade protonerna och elektronerna hindrar fotonerna från att komma särskilt långt, så sikten i den expanderande och svalnande dimman är fortfarande väldigt dålig.

När universum är några minuter gammalt kombineras de överlevande protonerna och neutronerna så att atomkärnor bildas, huvudsakligen till väte- och heliumatomer. Dessa är fortfarande laddade, så det går inte att se igenom dimman nu heller. Den dimmiga materien påminner en hel del om vad som finns inuti stjärnor nuförtiden, men den fyller förstås hela universum.

Efter det energiska händelseförloppet under livets första minuter förblir universum ungefär likadant under ett par hundra tusen år. Det fortsätter att utvidgas och svalna och den varma dimman blir gradvis tunnare, svagare och rödare allt eftersom ljusets våglängder töjs ut på grund av rummets expansion. Sedan, efter 380 000 år, när den del av universum som vi i sinom tid kommer att se från jorden har blivit några miljoner ljusår stor, lättar äntligen dimman – elektroner fångas upp av väte- och heliumatomkärnorna så att fullständiga atomer bildas. Eftersom elektronernas och atomkärnornas elektriska laddningar tar ut varandra är atomerna totalt sett inte laddade. Det innebär att fotonerna nu kan röra sig obehindrat – universum blir genomskinligt.

Vad ser man då efter denna långa väntan i dimman? Bara en falnande röd glöd i alla riktningar, som blir rödare och svagare allt eftersom rummets expansion fortsätter att töja ut fotonernas våglängder. Till sist upphör ljuset att vara synligt överhuvudtaget och det finns bara mörker överallt – vi har nått fram till universums mörka tidsålder.

Fotonerna från den sista glöden har färdats genom universum ända sedan dess och blivit ständigt rödare – i dag kan de upptäckas som kosmisk bakgrundsstrålning (CMB) och de kommer fortfarande till jorden från himlens alla riktningar.

Universums mörka tidsålder varar ett par hundra miljoner år. Under den perioden finns det bokstavligt talat ingenting att se. Universum är fortfarande fullt av materia, men det handlar nästan uteslutande om mörk materia. Resten är väte och heliumgas och inget av detta alstrar något nytt ljus. I mörkret inträffar dock vissa förändringar i tysthet. På grund av de mikroskopiska krusningarna som förstorades av inflationen så innehåller vissa områden något mer massa än genomsnittet. Det innebär att dessa områden utövar starkare dragningskraft genom gravitationen. Därför sugs ännu mer massa in och den mörka materien samt vätet och heliumgasen som redan finns där dras tätare samman. Under flera miljoner år samlas långsamt kompakta fält av mörk materia och gas till följd av den ökade gravitationen. Dessa växer gradvis genom att dra till sig ännu mer materia och något fortare genom att kollidera och slås samman med andra fält. När det kommer in gas i dessa fält ökar atomernas hastighet och de blir varmare. Då och då blir gasen tillräckligt varm för att sluta kollapsa, om den inte kan svalna genom att avge fotoner eller trycks ihop genom att kollidera med ett annat moln av materia.

Om gasmolnet kollapsar tillräckligt mycket så uppgår det i klotformade klumpar som är så kompakta att värmen inuti inte kan komma ut – och till sist nås en punkt då vätekärnorna i mitten av klumparna blir så varma och hoptryckta att de börjar smälta samman (fusioneras) till heliumkärnor och avge kärnenergi. Du befinner dig inuti ett av dessa kollapsande fält av mörk materia och gas (för det är här som jordens galax en dag kommer att finnas) och du blir nog förvånad när mörkret runt dig skingras och de första av klumparna i närheten börjar lysa klart – de första stjärnorna har fötts och universums mörka tidsålder är slut.

De första stjärnorna förbränner snabbt sitt väte. I deras slutskeden fusionerar de alla kärnor de kan hitta för att skapa atomer som är tyngre än helium – kol, kväve, syre och alla de andra tyngre atomerna som finns överallt runt omkring oss (och i oss) i dag. De här atomerna skingras som aska och återvänder till de närliggande gasmolnen i stora explosioner och sveps med i bildandet av nästa generation stjärnor. Processen fortsätter – ur gasen och askan som ackumuleras bildas nya stjärnor som sedan dör och skapar mer aska. Allt eftersom nyare stjärnor bildas får vår galax – Vintergatan – sin välbekanta form. Exakt samma sak händer i de liknande fläckarna av mörk materia och gas som är strödda över den synliga delen av universum.

Det har gått nio miljarder år sedan den stora smällen och nu börjar en ny stjärna, som omges av planeter och har bildats av väte, heliumgas och askan från döda stjärnor, att ta form och tändas.

Efter ytterligare fyra och en halv miljard år kommer den tredje planeten räknat från denna stjärna att vara den enda platsen i det kända universum där människan kan överleva och må bra. Hon – du – kommer att se stjärnor, moln av gas och stoft, galaxer och kosmisk bakgrundsstrålning överallt på himlen – men inte den mörka materien, vilket är vad det mesta som finns där ute består av. Inte heller kan människan se någonting av de delarna som ligger så långt bort att inte ens CMB-fotonerna därifrån har kommit fram än och det kan faktiskt finnas delar av universum vars ljus aldrig någonsin kommer att nå fram till människans planet.

Det här är jorden, vår vackra hemplanet ...

Kapitel åtta

När Eric hade avslutat sin föreläsning tändes lamporna. Lyssnarna hoppade upp på fötter och applåderade så att det ekade i hörsalen.

Eric bugade ödmjukt några gånger och vacklade sedan av podiet där han omedelbart omringades av entusiastiska fans. Det blixtrade vilt av kameror och ett TV-team filmade minsta rörelse han gjorde. Trängseln runt honom var så tät att Annie och George inte hade en chans att ta sig fram. Trycket från folkmassan trängde dem långsamt bakåt, bort från platsen där Eric stod.

Annies kinder var skära av spänning. "Helt grymt!" sa hon gång på gång, utan att direkt tilltala någon. "Det var helt grymt!" babblade hon till Vincent, som såg ut som om han hade blickat in i en stjärnas brinnande hjärta och nu hade svårt att återvända till verkligheten på planeten jorden.

George hörde någon hosta artigt och när han vände sig om

stod mannen som hade suttit bredvid honom där. George insåg
att han var ganska gammal, med vitt hår och mjuk slokmustasch.
Han var klädd i en välpressad tweedkostym med väst. Kedjan
från ett fickur bildade en ögla utanpå västen. Den gamle mannen
grep tag i Georges arm.

"Du satt bredvid Erics dotter", viskade han snabbt. "Känner
du Eric?"

"Ja ...", började George och försökte dra sig undan. Den
gamle mannens mustasch kittlade honom nästan i ansiktet.

"Vad heter du?" frågade den gamle mannen.

"George", svarade George, som fortfarande försökte backa.

"Du måste hämta honom", sa den mustaschprydde mannen häftigt. "Jag måste prata med honom! Det är väldigt viktigt."

Den gamle mannen hade nu på sig ett par vanliga glasögon med klara glas och George undrade om han bara hade inbillat sig den där gula färgen.

"Men vem är du?" frågade han.

Den gamle mannen rynkade pannan. "Menar du att du inte *vet* det?"

George tänkte så att det knakade. Hade han träffat den här mannen förut? Han trodde inte det. Men det var ändå någonting med sättet han pratade på som kändes vagt bekant.

"Visst känner du igen mig?" sa den gamle mannen enträget. "Kom igen nu – vad heter jag?"

George sökte febrilt i minnet, men kunde inte för sitt liv komma på vem det här var. Han skakade generat på huvudet.

"Verkligen?" Mannens blick mörknade och det var uppenbart att han var djupt besviken. "Jag var väldigt välkänd på min tid", sa han sorgset. "Vartenda skolbarn kände till mina teorier. Menar du verkligen att du aldrig har hört talas om Zuzubin?"

George grimaserade. Det här kändes riktigt hemskt. "Nej, tyvärr, professor Zuzubin …" Han kunde inte ens avsluta meningen.

"Det är beklagligt", sa den gamle professorn nedslaget. "Jag var Erics handledare, förstår du!"

"Just det!" utbrast George lättat nu när han äntligen hade någonting positivt att säga. "Det är där jag har sett dig – på det där fotot av Eric som student! Det är du som är hans fantastiske lärare!"

Professor Zuzubin såg inte gladare ut för det. "Erics fantastiske lärare …", muttrade han. "Jaha, det är alltså så man kommer att minnas mig. Det är så de kommer att kalla mig om …" Han verkade hejda sig själv. "Strunt samma", sa han bestämt. "Hämta Eric. Jag väntar på hans arbetsrum. Skynda dig, George!"

George fick kämpa hårt för att komma fram till Eric, som var upptagen med att svara på frågor från fansen som stod i små klungor och beundrade honom. "Sluta knuffas!" väste de när George försökte bana sig fram. Han såg att Eric hade dragit ut Kosmos sladd, fällt ihop honom och tryckt in honom under armen.

Till slut kom George tillräckligt nära för att viska i hans öra. "Eric", sa han. "Professor Zuzubin är här och vill prata med dig. Han säger att det är väldigt viktigt."

"Är Zuzubin här?" frågade Eric och vände sig förvånat mot George. "Verkligen? I den här föreläsningssalen? Är du helt säker? *Zuzubin?*"

"Ja, Zuzubin", bekräftade George medan folk knuffades och trängdes för att nå fram till Eric. "Han väntar på ditt arbetsrum. Han säger att det är brådskande."

"Då måste jag skynda mig!" sa Eric. Han slog ihop händerna högt och det blev tyst i salen. "Tack för att ni lyssnade, allihop!" sa han till sina beundrare. "Kom gärna tillbaka om en månad. Då ska vi diskutera små svarta hål och universums slut. God kväll, mina damer, herrar och barn!"

Eric lämnade hörsalen till ännu en stormande applåd och George följde efter honom med rynkad panna. Det var någonting med professor Zuzubin – kanske de gula glasögonen eller det underliga sättet han sagt Erics namn på – som fick George att känna sig lite illa till mods. Vad som än väntade Eric så ville George se det ...

"Vad ska det här betyda?" frågade professor Zuzubin och slängde ned ett fotografi på Erics skrivbord med sådan kraft att alla

halvdruckna tekoppar, oöppnade kuvert, vetenskapliga dokument
och boktravar darrade betänkligt.

"Professor Zuzubin", sa Eric. Han var röd i ansiktet och
fumlade nervöst med fingrarna. "Jag … jag …"

George stirrade förbluffat på honom. Han hade aldrig förut
varit med om att någon tillrättavisat Eric.

Professor Zuzubin bara stod där och tittade på sin gamle elev.
"Eric Bellis, jag vet att du har med det här att göra. Var snäll och
förklara dig."

George kastade en blick på fotografiet. Det föreställde en grå,
kratertäckt yta. Men mitt på det suddiga fotot stod två otydliga
figurer i rymddräkter. "Oj, oj", mumlade Eric.

"Oj, oj", upprepade professor Zuzubin.

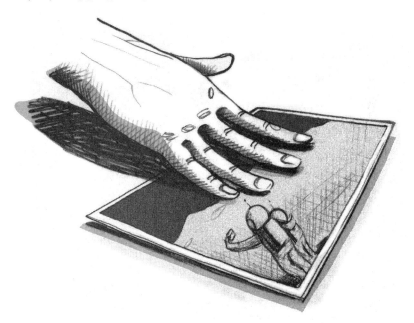

"Alltihop är *mitt* fel", sa Eric omedelbart. "Du kan inte skylla på George!"

"George!" exploderade professor Zuzubin. "Har du börjat ta med dig barn ut i rymden nu? Vad blir det härnäst? Tänker du ta med dig en hel skolklass till månen? Vad tänkte du på, egentligen?"

"Nej, det var faktiskt jag", sa George modigt. "Jag följde efter Eric till månen för att jag ville fråga honom en sak. Det var inte han som tog med mig dit – jag gick dit själv." Så snart George hade sagt det insåg han att förklaringen faktiskt fick alltihop att låta ännu värre.

"Du lämnade alltså portalen obevakad under en kosmisk resa …", sa Zuzubin långsamt. "Så att ett *barn* kunde använda portalen utan uppsikt och följa efter dig ut i rymden? Inser du hur allvarligt det här är?"

"Förlåt", sa Eric och såg väldigt skamsen ut. "Jag hade ingen aning om att det fanns en satellit där."

"Du har varit fruktansvärt oförsiktig", replikerade Zuzubin. "Det var doktor Ling vid den kinesiska grenen av Sällskapet för Vetenskaplig Forskning som skickade mig den här bilden. Han skulle vilja veta hur det kommer sig att en kinesisk satellit lyckades ta ett tid- och datummärkt foto av två astronauter på månen när inga bemannade rymdfarkoster har besökt den sedan 1972."

"Det är väl inte så farligt", sa George hoppfullt. "Eller? Jag menar, så länge de inte kan se portalen är Kosmos hemlighet inte avslöjad. De tror säkert att fotot bara är ett misstag."

"Ett *misstag?*" tjöt Zuzubin. "Ni använde superdatorn för att

göra en liten utflykt till månen. Ni blev sedda. Och nu tror ni att
det här kan bortförklaras som ett *misstag*?"

"Skrik inte åt George", sa Eric, som tycktes ha återfått
fattningen lite. Han tog en klunk från en av sina gamla tekoppar
och verkade bli stärkt. "Jag erkänner – vi reste till månen med
hjälp av Kosmos så att jag kunde undersöka en teori jag arbetar
på. Jag behövde lite månmaterial för min forskning. Men det var
allt! Det finns ingenting mer att säga."

"Jo!" sa Zuzubin och blev rödbrun i ansiktet. "Det finns
visst mer att säga! För tillfället är det här fotografiet fortfarande
hemligstämplat – doktor Ling har sett till att det är det – men om
det kommer ut så blir det väldigt, väldigt problematiskt för oss
alla. Du visste att Kosmos endast kunde vara ett effektivt redskap
för vetenskaplig forskning så länge datorns existens hemlighölls
helt. Du visste mycket väl vad som skulle hända om hemligheten
med superdatorn blev allmänt känd. Du har ansvaret för världens
mäktigaste superdator. Och ändå har du … du …"

Han såg så arg ut att George undrade om hans huvud skulle
explodera som en vulkan.

"Det här hade knappast kunnat komma mer olägligt för
Sällskapet för Vetenskaplig Forskning", fortsatte han. Han lät
faktiskt lite lugnare nu.

Sällskapet för Vetenskaplig Forskning i Mänsklighetens Tjänst
var en specialiserad och mycket framstående grupp forskare
som hade slutit sig samman för att säkerställa att vetenskapen
användes för goda syften snarare än onda. Eric var medlem – och
faktiskt även George och Annie. George hade anslutit sig under

äventyret med Eric och det svarta hålet och var sällskapets yngste medlem någonsin.

"Du måste ha lagt märke till demonstrationen utanför din föreläsning", fortsatte Zuzubin. "Du måste förstå att organisationen Teorin Om Allt Rymmer Inte Någon Gravitation blir starkare och starkare!"

George märkte att han ansträngde sig för att kalla organisationen någonting annat än TOARING, vilket George tyckte var konstigt. Förkortningen verkade passa väldigt bra, så varför använde inte den mystiske kosmologen den?

"De blir allt djärvare", fortsatte Zuzubin. "De har aldrig tidigare visat sig offentligt. Men de vet att människor i hela världen har börjat vända vetenskapen ryggen, så deras självförtroende växer. I ett sådant klimat kan det få riktigt allvarliga konsekvenser om allmänheten genom ditt dåraktiga agerande får veta att vi har en superdator som vi hållit hemlig. De kommer att fråga sig vad mer vi har dolt för dem – LHC-acceleratorn kanske verkligen *är* farlig? Ingen av oss kanske borde få fortsätta med vårt arbete? Det kan bli slutet på våra vetenskapliga karriärer! Det kan bli slutet för själva vetenskapen!"

George trodde att Eric skulle brista i gråt. Han hade aldrig tidigare sett honom så upprörd.

"Vad kan jag göra?" frågade vetenskapsmannen och fumlade med fingrarna. "Finns det något som kan förbättra situationen?"

"Vi har sammankallat ett krismöte för alla medlemmar i Sällskapet för Vetenskaplig Forskning i Mänsklighetens Tjänst", sa Zuzubin och tittade på det runda fickuret vars kedja hängde ned över hans väst. "Du måste ge dig iväg omedelbart och ta med dig Kosmos. De kommer att gå igenom alla aktiviteter som Kosmos har utfört medan du har haft hand om honom för att se huruvida din användning av superdatorn kan anses berättigad."

Både George och Eric svalde ljudligt. Tanken på hur Sällskapet för Vetenskaplig Forskning gick igenom Kosmos loggar och upptäckte att datorn nyligen hade använts för att förflytta en gris var inte särskilt upplyftande.

"Du kommer att få förklara för Sällskapet vad du har gjort", sa Zuzubin.

"Det kan bli väldigt pinsamt …", mumlade Eric, som fortfarande tänkte på Freddy.

"De kommer att avgöra huruvida du kommer att få behålla ansvaret för Kosmos. Jag har ordnat med transport åt dig."

Eric blev blek. "Menar du att de vill ta Kosmos ifrån mig?"

"De kan inte göra så här!" utbrast George. "Det är inte rättvist!"

"Vi får se", sa Zuzubin. "Eric, du måste ge dig iväg nu. Gå tillbaka hem, så blir du upphämtad där."

"Vart ska jag?" frågade Eric.

"Till det stora experimentet."

"Jag följer med", sa George. "Jag är medlem i Sällskapet för Vetenskaplig Forskning. Jag borde vara med."

"Absolut inte", dundrade

Zuzubin. "Du stannar här. Detta är ingenting för barn."

"Zuzubin har rätt", sa Eric mjukt. "Det här berör inte dig, George."

"Men vart ska du?" frågade han. "Var är mötet? Och när kommer du hem?"

Eric svalde. "Till LHC-acceleratorn", sa han lågt. "Jag ska tillbaka till tidernas begynnelse."

Och med de orden gick de tyst ut ur Erics arbetsrum och begav sig mot dubbeldörren vid entrén. Eric och George gick ut på gatan, men när George tittade tillbaka genom glasrutorna såg han att Zuzubin inte följde med. Den gamle professorn gick i stället ned för trapporna vid ytterdörren. Det var märkligt, tänkte han. Vart var Zuzubin på väg?

"Eric", sa George medan vetenskapsmannen låste upp sin cykel. "Vad finns under matematikinstitutionen?"

"*Under* den?" sa Eric. Han såg fullständigt förbryllad ut. "Jag har inte varit där nere sedan jag var student."

"Men vad finns det där?" envisades George.

"En massa gammal bråte, skulle jag tro. Mestadels gamla datorer. Jag vet inte ..." Eric skakade på huvudet. "Du får ursäkta mig, George. Jag har rätt mycket att tänka på just nu. Leta upp din cykel så cyklar vi hem."

Kapitel nio

När de kom tillbaka hem till Eric tjöt Annie av lycka över hur bra föreläsningen hade gått.

"Vincent tyckte att du ägde", sa hon glatt. "Han sa att du var fantastisk!"

Men den muntra atmosfären varade inte länge. Susan behövde bara kasta en blick på Eric och George för att förstå att någonting väldigt oväntat måste ha hänt. Hon gick in i arbetsrummet med Eric och stängde dörren. Det spelade ingen roll – väggarna var så tunna att de två barnen ändå kunde höra vartenda ord Annies föräldrar sa.

"Vad menar du?" frågade Susan när Eric hade berättat nyheterna. "Vad då resa till Schweiz i kväll? Terminen har precis börjat! Hur blir det med dina studenter? Hur blir det med *oss*? Du lovade att vi skulle fira vår bröllopsdag! Vi har ju planerat för det i flera år – gör mig inte besviken, Eric. Inte nu igen."

"Vad är det som pågår?" viskade Annie till George där de stod i köket.

"En satellit fotograferade oss på månen", förklarade George. "Bilden skickades till någon gammal professor vid den kinesiska delen av Sällskapet för Vetenskaplig Forskning. Och nu är din pappa i knipa. Han måste omedelbart resa till LHC-acceleratorn

för att förklara sig och se om de låter honom behålla Kosmos."

Annie blev alldeles blek. "Menar du att vi kan *bli av med Kosmos?*" väste hon.

"Susan", sa Eric i rummet bredvid. "Jag är verkligen ledsen."

"Du *lovade*", sa Susan. "Du lovade mig att inte krångla till våra liv igen!" Annie och George ville inte lyssna, men de kunde inte undgå att höra. Vartenda ord var otäckt tydligt.

"Om jag inte ger mig av nu så kommer jag *definitivt* att bli av med Kosmos", sa Eric.

"Kosmos!" fnös Susan argt. "Om du visste hur trött jag är på den datorn! Den har inte varit till något annat än besvär."

"Nu tar du väl i", protesterade Eric ynkligt.

Annie sprang ut ur köket och störtade in i arbetsrummet. "Sluta!" ropade hon dramatiskt. "Jag står inte ut! Sluta gräla!! Sluta! Sluta med en gång!"

George stod som fastfrusen i köket. Det här var första gången sedan han lärt känna grannfamiljen som han skulle ha gett vad som helst för att vara tillbaka i sitt eget hem med sina egna föräldrar. Det spelade ingen roll att hans bebissystrar förde massor

med oväsen och hans mamma lagade konstig mat – han ville bara försvinna ut ur Annies, Susans och Erics liv och återvända till sitt eget.

"Snälla Annie", sa Susan. "Det här handlar om din far och mig."

"*Kommer* de att ta ifrån oss Kosmos?" frågade Annie sin pappa, som såg ut att ha glidit iväg till ett eget universum.

"Va?" frågade Eric förvånat.

"Du har inte hört ett ord, va?" suckade Susan. Hon lät plötsligt helt uppgiven. "Jag försökte prata med dig, men allt du hade i huvudet var vetenskap!"

"Jag … jag …" Eric kunde inte förneka det.

"Det kanske faktiskt vore bäst att du blev av med Kosmos", sa Susan. "Jag hoppas att de tar den förbaskade datorn ifrån dig så att vi kan bli en vanlig familj igen."

"Mamma!" ropade Annie skräckslaget. "Du kan omöjligt mena det där."

"Jo du, det kan jag", sa Susan. "Om Sällskapet för Vetenskaplig Forskning inte förstör den där jäkla maskinen så gör jag det själv."

Därefter lade sig en besvärande tystnad över huset och stämningen blev kylig. Eric klampade upp för att packa och Annie följde efter med en massa förslag på vad han skulle säga till Sällskapet för Vetenskaplig Forskning. "Annie! Jag kommer att sköta det här själv!" svarade hennes pappa med ovanligt hög röst. "Håll dig utanför detta! Du har inte med saken att göra!"

George, som fortfarande stod kvar på samma plats i köket, hörde hur Annie sprang ned för trappan och in i Erics arbetsrum. Hon slog igen dörren efter sig och sedan genljöd hennes höga snyftningar genom huset.

"Annie ...", sa Susan och knackade försiktigt på arbetsrummets dörr.

"Stick!" ropade Annie. "Jag hatar dig! Jag hatar er allihop!"

Susan kom in i köket med trött, härjat ansikte. "Jag är ledsen, George", sa hon matt.

"Ingen fara", sa George. Men det var inte riktigt sant. Han hade aldrig varit med om att vuxna grälat på det där viset och det fick honom att må lite illa.

"Du borde nog gå hem nu", sa Susan vänligt.

Eric dök upp i dörröppningen. "Här – ta den här ...", sa han

och räckte över en bur med hamstern Pocki till George. "Och
den här också", fortsatte han bedrövat. "Det är en souvenir – ifall
de kommer och konfiskerar alla mina rymdgrejer medan jag är
borta. Jag misstänker att du vill ha den." Det såg ut som ett stort,
smutsvitt duntäcke som tryckts ned i en ryggsäck. Men George
visste precis vad det var Eric gav honom: rymddräkten.

"Är du säker?" frågade han medan han satte på sig ryggsäcken
och tog buren i båda händerna. Hamstern Pocki var inget vanligt
sällskapsdjur. Faktum var att han var världens enda existerande
nanosuperdator. Det var Erics före detta kollega doktor Liemann

som hade byggt Pocki, och han var nästan lika kraftfull som den store Kosmos själv.

Åtminstone var han det *i teorin* – enda problemet var att Eric inte hade någon aning om hur man använde honom. Nanodatorn var kamouflerad som ett väldigt naturtroget litet pälsdjur, men den hade ingen kontrollpanel och reagerade inte på några kommandon eller instruktioner. Utan sin skapare, doktor Liemann, var superdatorn Pocki faktiskt helt obrukbar. Eric hade hoppats på att kunna länka samman honom med Kosmos, men planen hade misslyckats. I stället hade Pocki levt ett stillsamt liv i en rymlig hamsterbur där han tvättade morrhåren, sov och sprang runt i sitt hjul – ingenting som verkade särskilt utmanande för världens näst mäktigaste dator ... Men innan doktor Liemann återvände från sin långa vistelse vid det avlägsna fysikinstitutet han skickats till så fanns det ingenting Eric kunde göra med Pocki. Förutom att hålla honom säker – och hemlig.

Utöver Liemann så var det bara George, Eric och Annie som kände till Pocki. George insåg plötsligt vad det måste betyda: att Sällskapet för Vetenskaplig Forskning i Mänsklighetens Tjänst inte hade någon aning om att det fanns en andra superdator. Organisationens medlemmar kände bara till Kosmos.

"Hej då, George", sa Eric. "Lycka till."

"Och Annie?" frågade George. Snyftningarna hade avtagit.

"Jag ska se till att hon skickar dig ett sms när vi har läget under kontroll igen", sa Susan.

George gled ut genom Annies köksdörr och tillbaka genom trädgården. Han hoppade igenom hålet i staketet. Hans hus glödde med ett välkomnande, välbekant sken i mörkret. Solpanelen som hans miljömedvetna pappa hade riggat upp alstrade ingen stark ström och batteriet den matade var ofta så gott som urladdat om kvällarna.

George öppnade bakdörren och gick in i köket, där hans mor Daisy höll på att purea grönsaker till bebisarna. Lukten av hemmet var nästan överväldigande. Hans mor vände sig mot honom och log.

"Nej men, har du kommit hem?" frågade hon sitt äldsta barn som stod och tvekade på tröskeln med en stor hamsterbur och en ryggsäck. "Tänker du stanna?" George kände hur han fick en klump i halsen. Han nickade.

"Det var roligt att höra", sa Daisy mjukt. "Jag vet att det har varit lite jobbigt för dig här hemma med flickorna ..." Tvillingarna låg och sov i sävkorgar på var sin sida om spisen och deras långa, mörka ögonfransar avtecknade sig tydligt mot kinder som var lika perfekta som blomsterblad. "Det blir bättre", fortsatte hon och gav George en kram. "När de blir lite större kommer de inte att föra lika mycket oväsen."

En av tvillingarna – George var fortfarande inte riktigt säker på vem som var vem – skrattade i sömnen. Det var ett gulligt litet pinglande ljud som påminde om stjärnstoft som föll till jorden.

"Du kommer att bli förvånad när de blir större – du kommer knappt kunna föreställa dig hur livet var utan dem!"

Georges pappa Terence stod i dörröppningen och tittade. George insåg att hans föräldrar aldrig hade sagt något om de många timmarna han tillbringade i grannhuset och han älskade dem plötsligt ännu mer för att de inte nämnde det.

"Trevligt att du har kommit tillbaka, George", grymtade hans pappa. "Vi har saknat dig. Låt mig hjälpa dig." Han tog buren med hamstern och kastade en blick på världens näst mest kraftfulla dator, som för tillfället sov lika gott som de två bebisarna. "Vem är det här?"

"Detta är Pocki", sa George. "Får han bo i mitt rum?"

Hans föräldrar log. "Självklart", sa Daisy. "Vilken mysig liten

krabat! Han är lite mindre än den där konstiga gamla grisen."

"Jag bär upp honom", sa Terence.

George gick upp för trappan till sitt rum och lade sig för att sova i sin egen säng. Han drog inte för gardinerna helt utan lämnade en liten springa i förhoppning om att han skulle vakna mitt i natten och se en stjärna falla över natthimlen.

Kapitel tio

En lång, glänsande svart bil stannade på den mörka och
ödsliga gatan utanför Erics hus. Föraren klev ut och ringde
på dörrklockan. Innanför ytterdörren stod en blek Eric med
en väldigt liten resväska i ena handen och en datorväska med
Kosmos i den andra. Han vände sig om på tröskeln för att säga
adjö och fick två hårda kramar av Susan och Annie.

"Då går jag", sa han. Ögonen brann som två döende stjärnor i
hans kritvita ansikte.

"Lycka till", sa Susan tyst. "Eric, var försiktig! Lova mig det! Ta
hand om dig. Det finns många elaka människor som inte tycker
om dig."

"Äh, jag klarar mig!" sa Eric och försökte låta hurtig. Nu när
han till sist skulle åka kunde Susan och Annie inte längre vara
arga på honom. "Jag kommer tillbaka om några dagar och då
kommer vi att skratta åt hela episoden! Det handlar bara om ett
fånigt missförstånd – så snart jag får en chans att förklara mig
så kommer alltihop att ordna sig. Jag kommer att vara hemma

innan ni ens har hunnit märka att jag är borta! Kanske till och
med i tid för firandet!"

"Hej då pappa!" sa Annie
med darrande underläpp.

"Se så, professorn."
Föraren började bli otålig.
"Var snäll och kliv in i
bilen, herr Bellis. Vi har en
tid att passa."

Eric vände sig om och
klättrade in i det eleganta
fordonet. Föraren stängde
omsorgsfullt dörren efter
honom. Rutorna var

gjorda av mörkt glas och Annie och Susan kunde inte se tåren
som rann ned för forskarens kind när han satte sig på det mjuka
skinnsätet. Nu var han ensam med sin dator.

Den kraftfulla motorn spann som en katt när bilen rullade
längs gatan. De åkte i tystnad till en flygplats i närheten – ett
privat fält där bara ett fåtal plan landade och startade varje dag.
Föraren sa några ord till vakten vid grindarna och sedan rullade
bilen igenom, rakt ut på flygfältet.

Ett jetplan stod och väntade i fullmånens klara sken och en
liten trappa hade fällts ned så att Eric kunde kliva rakt ut ur bilen
och in i planet. Han klättrade ombord och insåg att han var
planets ende passagerare.

Efter bara några minuter hördes pilotens röst över högtalar-

systemet. "God kväll, professor Bellis. Vi känner oss hedrade som får flyga dig i kväll. Vi kommer att landa på ett flygfält nära LHC-acceleratorn om ungefär en och en halv timme. Var god och spänn fast säkerhetsbältet inför resan."

Och med de orden började det lilla flygplanet att accelerera längs startbanan. Det lyfte mjukt nosen och ögonblicket efter flög de genom natten mot vad som kunde bli slutet på Erics karriär.

George hade glidit in i en djup sömn i samma ögonblick han lagt huvudet på kudden, men den varade inte länge. Efter vad som kändes som bara några sekunder satte han sig spikrak upp i sängen och kände kalla svettdroppar rinna ned för ryggen. Hans sömn hade varit full av förvirrade drömmar där svartklädda människor jagat Freddy genom tjockt, orangefärgat gräs på en främmande planet där solen var grön. "Stoppa förbrytaren! Stoppa grisen!" hade de vrålat. George hade försökt ropa åt dem att lämna Freddy i fred, men allt han kunnat få fram var ett förskrämt kraxande.

Adolf Schaller for STScI

Hubbleteleskopets djupaste bilder av kosmos avslöjar att de första stjärnorna efter den stora smällen tycks ha lyst upp himlen som fyrverkerier.

NASA, ESA, R. O'Connell (University of Virginia), F. Paresce (National Institute for Astrophysics, Bologna, Italy), E. Young (Universities Space Research Association/Ames Research Center), the WFC3 Science Oversight Committee, and the Hubble Heritage Team (STScI/AURA)

En ung och glittrande stjärnhop: NGC3603 i stjärnbilden Kölen, 20 000 ljusår bort.

"Hubble Deep Space Field" – den djupaste bilden som finns av vårt synliga universum.

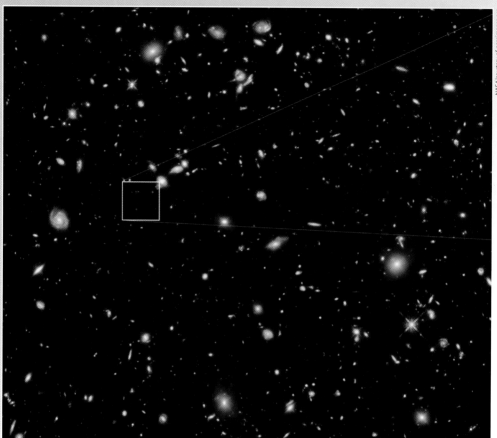

Den svaga röda fläcken – en bild tagen i infrarött – är en av de äldsta galaxerna som någonsin har observerats i vårt universum.

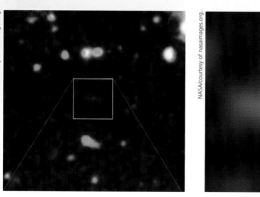

Den här kompakta galaxen är en pytteliten byggsten i dagens jättegalaxer och existerade så tidigt som 480 miljoner år efter den stora smällen.

Med den senaste tekniken har
astronomer lyckats framställa den
här kartan över mörk materia, som
inte går att se med blotta ögat, i
den jättelika galaxhopen Abell 1689.

© CERN

Projektet vid LHC-acceleratorn ("Large Hadron Collider") är ett internationellt projekt baserat i Europa. Med acceleratorns hjälp kan man blicka tillbaka till tidernas begynnelse.

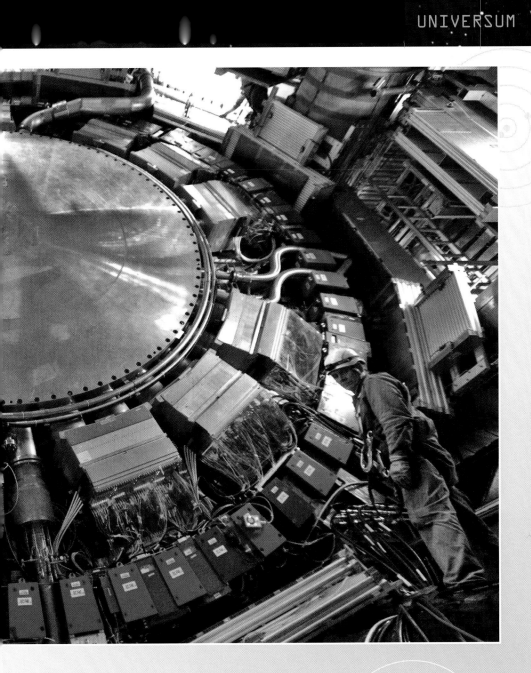

En hemsk tanke slog George när han vaknade i sitt sovrum.
Om Eric kom tillbaka utan Kosmos så skulle han aldrig få veta
vart Freddy tagit vägen! Eric hade inte berättat för honom var
grisens nya hem låg eftersom han behövt fråga Kosmos om saken.
Om de förlorade Kosmos så skulle de förlora Freddy också!
Tänk om datorn hade skickat honom till universums utkanter?
Det skulle innebära att han var på väg längre och längre bort …
George kanske aldrig skulle se honom igen och han skulle få
skylla sig själv som inte hade tagit bättre hand om sin gris.

UNIVERSUMS EXPANSION

Astronomen Edwin Hubble använde teleskopet på Mount Wilson i Kalifornien, som hade en spegeldiameter på 2,54 meter, för att studera natthimlen. Han fann att vissa av nebulosorna – dimmiga, klart lysande fläckar på natthimlen – faktiskt är galaxer, precis som Vintergatan, av kraftigt varierande storlek. Var och en består av miljarder och åter miljarder stjärnor. Han upptäckte ett intressant faktum: andra galaxer tycks vara på väg bort från oss och ju längre bort från oss de är desto snabbare tycks de röra sig. Människans universum blev plötsligt mycket, mycket större.

Universum expanderar: avståndet mellan galaxer ökar med tiden. Man kan likna universum vid utsidan av en ballong som man har målat fläckar på. Fläckarna representerar galaxer. När man blåser upp ballongen rör sig fläckarna eller galaxerna bort från varandra; ju längre ifrån varandra de är, desto snabbare ökar avståndet mellan dem.

RÖDFÖRSKJUTNINGEN

Väldigt varma föremål i rymden, som stjärnor, alstrar synligt ljus, men eftersom universum hela tiden expanderar så är dessa avlägsna stjärnor och deras hemgalaxer på väg bort från jorden. Därför töjs deras ljus ut när det färdas mot oss genom rymden – ju längre det färdas desto mer uttöjt blir det. Den här uttöjningen får det synliga ljuset att se rödare ut – något som kallas den kosmologiska rödförskjutningen.

George låg där i sängen och kände sig eländig och tyckte synd om sig själv – och Freddy. Han undrade om en midnattsmuffins och ett glas mjölk skulle vara till tröst. Han gled ur sängen och smög ljudlöst ned för trappan i sin pyjamas. Han visste att hans föräldrar inte skulle bli glada om han väckte de sovande spädbarnen.

Men när han hade kommit halvvägs ned för trappan hörde han ett ljud. Det kom från bottenvåningen, som var nedsläckt

och där det ju knappast borde vara någon. George stelnade till. Han vågade inte fortsätta nedåt, men var samtidigt rädd att han skulle märkas om han gick tillbaka upp. Han lyssnade uppmärksamt och försökte uppfatta minsta ljud.

Precis när han började tro att han bara hade inbillat sig så hörde han ljudet igen. Det var ett tyst men tydligt ljud: fotsteg, lika ljudlösa och försiktiga som hans egna. Fullmånen utanför sken klart och nedervåningen var nästan lika ljus som på dagen i silverstrålarna som strömmade in genom fönstren. George tryckte sig mot väggen av skräck och såg en skugga som passerade nedanför trappans fot och fortsatte in i köket. Han hörde hur bakdörren öppnades och stängdes och sedan tassade de kattlika fotstegen iväg.

George smög sig tillbaka upp för trappan så tyst han kunde för att blicka ut över trädgården från fönstret. I skenet från sin gamle vän månen kunde George se hur den långa skuggan krälade till trädgårdens bortre ände, där den tycktes sväva över staketet  och försvinna. George kände blodet bulta så kraftigt i öronen att han blev yr. Han sprang in i sina föräldrars sovrum och väckte sin pappa genom att ruska honom.

"Hrrmpppffff!" grymtade hans pappa och vände sig.

"Pappa!" väste George häftigt. "Pappa! Vakna!"

"Grugfmp!" Terence pratade i sömnen. "Skrota bomberna! Rädda valarna! Kött är mord!"

George ruskade honom på nytt.

"Skrota valarna! Bomber är kött! Rädda mord!" Terence fortsatte att mumla i sömnen medan Daisy snarkade lågt bredvid honom med huvudet under kudden.

Till sist vaknade han. "George!" sa han. "Är det bebisarna?" Terence stönade. "Behöver de matas – redan?"

"Pappa, jag såg någon!" berättade George. "Det var någon i huset! Jag såg personen klättra över staketet längst bort i trädgården."

Terence muttrade olyckligt för sig själv, men reste sig sömnigt. "Lycka till med att hitta något värt att stjäla här", mumlade han för sig själv. "Lycka till med att hitta någonting alls." Men han gick ändå ned för att kolla och återvände lite senare med ett allvarligt men väldigt sömnigt ansikte.

"Bakdörren var öppen", sa han till George. "Jag har låst den nu. Det var säkert bara en katt. Lägg dig och sov nu innan småbarnen …"

I samma ögonblick hörde de båda två ett tjut från en av spjälsängarna. "Å nej!" grymtade Terence. "Där vaknade den ena …" Ett annat bebisskrik anslöt sig till det första. "Och där vaknade den andra. Gå och lägg dig, Georgie. Vi ses i morgon bitti."

Det dunkade i huvudet på George nästa dag i skolan. Han låg framåtlutad över sin bänk och kunde knappt hålla ögonen öppna. Hans pappa hade bestämt sig för att inte göra någon polisanmälan – ingenting hade blivit stulet och Terence var dessutom övertygad om att det bara varit ett djur, förmodligen en katt, som hade letat sig in i köket på jakt efter mat.

George delade inte den uppfattningen: en katt skulle behöva vara stor som en leopard för att åstadkomma så kraftiga fotsteg som de han hade hört. Det var mycket mer sannolikt att det varit en person. Men han hade inte sagt emot sin pappa. Han gäspade stort. Det var utmattande att försöka få rätsida på allt det här.

"Håller vi dig vaken?" frågade Georges nye historielärare vänligt.

"Nej, magistern", sa George ursäktande.

"Var snäll och bläddra till sidan trettiofyra i boken."

George trevade i sin väska och hittade boken. Han öppnade den på sidan han borde ha läst som läxa kvällen innan. I uppståndelsen runt Erics föreläsning hade han fullständigt glömt bort det.

Någon annan hade dock hunnit dit före honom. På precis den sidan låg en dubbelvikt lapp som någon hade skrivit hans namn på med en gammaldags, snirklig handstil som såg bekant ut. George vecklade upp lappen och började nedslaget att läsa:

George,
Onda krafter är verksamma i universum. Vår vän Eric svävar i fara. Vi måste talas vid. Försök inte att kontakta mig på något sätt.
Jag kommer till dig.
Bästa hälsningar,
Dr L.

George kände en kall ilning längs ryggraden. Han hade glömt sin väska på nedervåningen kvällen innan. Den hade legat på vardagsrumsbordet. Det innebar att skuggan han hade sett och fotstegen han hört bara hade kunnat orsakas av doktor Liemann, Erics gamle fiende.

Men varför komma till mig? tänkte George skräckslaget. Varför inte gå till Eric?

Han kunde besvara sin egen fråga så fort han hade ställt den. Eric var inte här – i går kväll hade han redan rest och tagit Kosmos med sig. Och Pocki, nanosuperdatorn som den märklige doktor Liemann kanske hade hoppats hitta hos Eric, hade varit på övervåningen i Georges hus, dit Liemann inte vågat gå. Om han hade tänkt besöka Eric så hade det redan varit för sent för att hitta honom. Så han hade kommit och letat efter George i stället. Eftersom Liemann hade smugit runt mitt i natten så måste han ha någonting väldigt viktigt att berätta. George insåg att han måste hitta Liemann och fråga honom vad som pågick. Men vågade han lita på honom?

George visste vad Annie skulle svara: "Aldrig i livet!" Liemann hade redan försatt dem i knipor av kosmiska proportioner två gånger tidigare. Men i slutändan hade han ändå visat sin goda sida: han hade räddat livet på dem alla när de fastnat på en avlägsen måne utan något sätt att återvända på. Och så snart de hade kommit tillbaka till planeten jorden hade Liemann svurit att lägga sitt mörka förflutna bakom sig. Han hade sagt att han ville vara vän med Eric. Han ville arbeta som en riktig vetenskapsman i stället för att leva i skuggorna.

Att döma av lappen som George hittat i sin lärobok så hade Liemann information som kunde rädda Eric. En mängd frågor snurrade i hans huvud och den första av dem var: Hur i hela fridens namn skulle han hitta Liemann?

"Vart skulle jag själv ta vägen om jag var en galen före detta vetenskapsman?" tänkte han för sig själv. Det var i alla fall meningen att han skulle tänka det för sig själv, men det visade sig att han hade sagt det högt.

"Jag vet inte vart galna före detta vetenskapsmän kan tänkas ta vägen", svarade hans lärare mjukt. "Men om jag var George Greenby så skulle jag vara på sidan trettiofyra i boken och försöka svara på frågan som läraren har skrivit på tavlan."

De andra eleverna fnittrade. "Förlåt, magistern", sa George.

Under halvtimmen som följde försökte han få hjärnan att
återvända till 1066 och allt som hänt då i stället för att tänka på
de onda krafterna i universum.

Det var nästan omöjligt. En enda tanke dök upp om och om
igen i hans huvud, lika tydligt som om Kosmos hade visat den i
stora röda versaler: *ERIC ÄR I FARA.*

Kapitel elva

Efter skolan cyklade George runt lite i Foxbridge innan han återvände hem. Det var förstås högst osannolikt att han skulle få syn på Liemann på gatan, men han visste inte riktigt vad mer han kunde göra. Sedan kom han att tänka på Kosmos karta över Foxbridge. Källaren! Om han hittade källaren där det hemliga mötet hade ägt rum så kanske han skulle få reda på mer om TOARING. Han var övertygad om att Liemanns meddelande hade någonting med de där svartklädda typerna att göra.

Hade Liemann deltagit i demonstrationen utanför universitetet?

Kunde den svartklädda figuren som försökt prata med Vincent ha varit Liemann?

George trampade på så fort han orkade. Han kunde Foxbridge utan och innan och Kosmos karta hade visat precis var den hemliga källaren fanns.

När George kom fram så insåg han förstås att detta var Erics gamla institution – platsen där han och Liemann hade studerat under den store Zuzubin. Liemann, Zuzubin och Eric hörde alla till samma studentförening.

Zuzubin, tänkte George. *Zuzubin*. Varför verkade han vara överallt och ingenstans på samma gång?

De stora portarna till byggnaden var stängda och låsta, men det fanns en mindre dörr i träportarna som stod öppen så att studenter kunde komma och gå. George skuttade igenom den och höll på att springa rakt in i en universitetsväktare med barsk uppsyn.

"Jag har något till professor Bellis", ljög George. Han kom inte på något annat att säga.

"Du kan lämna det i receptionen", sa portvakten som precis hade blivit färdig med att rätta till vartenda grässtrå på den klargröna gräsmattan. Han hade dammat av ringblommornas kronblad i kantrabatterna, krattat samtliga stenläggningar och polerat varje dörrklapp. Det sista han ville var att en sjabbig skolpojke förstörde hans perfekta gårdsplan. "Institutionen är stängd."

Portvakten stod och blängde på George över sina knävelborrar, så George hade inget annat val än att lämna området och gå hem.

När George hade druckit te gick han över till grannhuset för att träffa Annie, men den enda som var hemma var Annies mamma Susan, som för ovanlighets skull verkade helt utpumpad. Normalt sett var det Georges mamma som såg ut som om hon vaknat på fel sida. Den här gången var det Susan som hade spretigt hår, dåligt matchande kläder och bekymrade ögon.

"Annie är inte här", förklarade hon för George. "Hon är på karatelektion med Vincent. Han har visst svart bälte."

Så klart att han har, tänkte George.

Susan såg stressad ut.

"Du hade gärna fått komma in, men jag håller på och förbereder inför en stor fest vi ska ha på söndag, så jag har lite fullt upp just nu. Och titta där! Fönstret är sönder – vi vet inte hur det gick till. Det är glasskärvor överallt!"

George kände sig missmodig. "Hände det nu under natten?" frågade han. Han ville inte berätta för Susan att han själv haft nattligt besök. Hon såg tillräckligt bekymrad ut som det var.

"Det verkar så", svarade hon. För ett ögonblick trodde George att hon skulle börja gråta. "Vi hörde ingenting – och ingenting har blivit stulet. Det hela är väldigt märkligt."

"Kommer Eric tillbaka snart?" frågade han i ett försök att muntra upp henne.

"Jag har knappt hört ett ord från honom", svarade Susan. "Men han sa att det stora mötet skulle hållas i morgon kväll. Jag hoppas att de reder ut allting så att han kan flyga tillbaka morgonen därpå. Det kommer säkert att ordna sig, George. Jag ska ta med mig Annie och sova över hos min syster. Nej, nu måste jag fortsätta, George. Jag kan inte stå här längre."

Med de orden stängde hon bakdörren och det väsnades lite när hon låste och reglade den. George suckade. Det fanns inget mer han kunde göra här, så han gick tillbaka hem.

När han kom in i köket hade hans far precis slagit på radion för att lyssna på nyheterna.

"*Kan hela universum utplånas av en livsfarlig bubbla som läcker ut från LHC-acceleratorn?*" frågade nyhetsuppläsaren muntert. "*Det är den stora frågan på allas läppar i kväll.*"

"George!" sa Terence. "Vet du något om det här?"

"Sch!" sa George. "Snälla pappa, jag måste lyssna på det här!"
Nyhetsrapporten fortsatte:

*"I ett dramatiskt pressmeddelande som i dag offentliggjordes
av den antivetenskapliga gruppen Teorin Om Allt Rymmer Inte
Någon Gravitation hävdas det att det nya experimentet vid LHC-
acceleratorn kan vara extremt farligt. I ett 'öppet brev till universum'
säger gruppens forskare att experimentet är hänsynslöst och osäkert,
eftersom det kan ge upphov till någonting som kallas äkta vakuum.*

*Enligt källor vid organisationen Teorin Om Allt Rymmer Inte Någon
Gravitation så är vår existens i universum beroende av det falska
vakuumet, som kan förstöras till följd av högenergiexperimenten som
väntas börja inom kort vid acceleratorn. Organisationen bedömer
att den utplånande bubblan kan slita sönder hela vårt solsystem
inom åtta timmar! Vi har sökt professor Eric Bellis, som är ansvarig
för experimentgruppen vid acceleratorn, men har inte lyckats få
någon kommentar. Ett meddelande har dock de senaste minuterna
offentliggjorts av forskarna som arbetar med honom: 'Acceleratorn
är helt säker och det finns ingen som helst anledning att oroa sig över
vetenskapens framsteg', säger de.*

Nu över till ..."

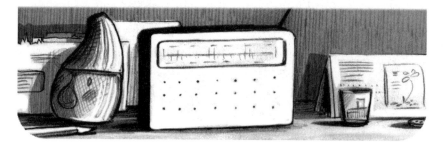

Vad är vakuum? Ett vakuum är ett utrymme som är så tomt att det inte ens finns luft i det. Om man till exempel pumpade ut all luft ur ett rum så skulle ett vakuum uppstå.

I en dammsugare används en luftpump för att skapa en klen form av något som liknar vakuum. Det är med hjälp av detta som dammet sugs upp när man städar sitt hem. Men man kan inte använda en dammsugare för att skapa den typen av vakuum vi talar om här. För det här experimentet skulle man behöva någonting med en mycket kraftigare pump.

Vakuumet i LHC-acceleratorns strålrör är lika tomt på gasmolekyler som vissa områden i yttre rymden!

VAKUUM

Att få bort alla luftpartiklar från ett rum är inte lätt. Även ett rum som är helt tomt på *atomer* innehåller fortfarande *strålning*:

- infraröda fotoner som skickas ut från rummets varma väggar

- radiofotoner från TV-sändare

- mikrovågsfotoner som blivit kvar efter den stora smällen

- andra partiklar som susat in från rymden (till exempel neutriner som bildats i solen)

- Det skulle dessutom fortfarande innehålla mörk materia!

Vad skulle hända om man fick bort strålningen genom att kyla de varma väggarna? Då skulle rummet bli mer tomt än rymden mellan galaxerna! Men det skulle fortfarande innehålla någonting som kallas "kvantfält". Det är dessa som ger upphov till fotonerna, neutrinerna, elektronerna och de andra partiklarna. Fysiker kallar kvantfältens lägsta energitillstånd för *vakuumtillståndet*, och det är detta tillstånd – ett tillstånd utan några observerbara partiklar – som skulle råda i vårt tänkta rum.

Om vi kunde titta på tillräckligt nära håll skulle vi också se pyttesmå krusningar i rumtiden och gravitationen som kallas *gravitationsvågor*.

Så även om vi trodde att rummet blev helt tomt när vi pumpade ut luftmolekylerna så skulle vi vid en närmare granskning se att det faktiskt sjuder av aktivitet!

Om man tillför energi till ett vakuumtillstånd (*exciterar* det, som fysiker säger) så dyker partiklar (och antipartiklar) upp. Vakuumet anses vara det lägsta *energitillståndet*. Det kan finnas många andra vakuumtillstånd med lika låg energi – när de exciteras skulle de alstra liknande partiklar. Under universums tidiga period, när temperaturen var mycket högre, kan rymden under ett tag ha existerat i ett *falskt vakuum* med högre energi, vars partiklar skulle vara exotiska i dag. När temperaturen sjönk sönderföll detta falska vakuum och blev till vårt nuvarande vakuum med lägre energi. Ett *äkta vakuum* är ett vakuum där energin verkligen är den lägsta möjliga.

Det finns ingen anledning att tro att något experiment på jorden skulle knuffa in oss i en annan sorts vakuum!

Terence stängde av radion. "Stämmer det där?" frågade han allvarligt och såg på George. "Finns det verkligen sådana risker med Erics experiment?"

"Nej!" utbrast George. "Självklart inte! Eric vill hjälpa mänskligheten, inte utplåna den!"

"Varför säger de då så där om honom på radion?"

"Jag vet inte", sa George. "Någon vill hindra honom från att göra nya upptäckter, så de har hittat på den där nonsensteorin om det äkta vakuumet. Jag måste ta reda på varför! Jag måste hjälpa Eric!"

"Det du måste göra är dina läxor", sa hans pappa allvarligt. "Och håll dig borta från Eric och hans familj ett tag. Jag vill inte att du dras in i det här – förstår du det, George? Vi får vänta och se om Eric själv har någon vettig förklaring. Till dess är det bäst att du håller dig ur vägen. Lova mig det!"

"Jag lovar", sa George. Men trots att han avskydde att ljuga för sin far så höll han fingrarna i kors bakom ryggen.

Dagen därpå var det lördag och George låg utsträckt ovanpå sitt täcke med kläderna på. Han funderade på vad han skulle göra härnäst när hans telefon plötsligt ringde. Nu när han hade börjat

i en ny skola hade hans föräldrar äntligen låtit honom ha en egen mobiltelefon.

"Annie!" Han hade aldrig blivit gladare över att höra hennes röst. Han hade skickat massor av sms kvällen innan och ringt flera gånger, men hon hade inte svarat.

"Hörde du vad de sa om pappa på nyheterna?" frågade hon.

"Öh … ja", sa George försiktigt. Det måste vara fruktansvärt

att ha en så känd pappa, tänkte han. "Har han ringt er?"

"Näpp", fnös Annie. "Inga sms. Inga mejl. Ingenting. Men överallt på internet skriver folk att han är en livsfarlig galning som måste stoppas från fortsatta experiment eftersom han tänker utplåna hela universum. Jag vet bara att mamma säger att det där stora mötet med Sällskapet för Vetenskaplig Forskning ska hållas i kväll klockan halv åtta. Hon hoppas att han kommer hem efter det."

"Jag fick ett konstigt meddelande", berättade George. "Från Liemann."

"*Från doktor Liemann?*" skrek Annie. "Vad står det?"

"Det står att din pappa är i fara och att onda krafter är verksamma i universum."

"Vad är det för poäng med att skicka ett sådant meddelande?" utbrast hon. "Det *vet* vi redan! Varför kan han inte säga någonting mer hjälpsamt för en gångs skull? Har du pratat med honom?"

"Nä", sa George. "Han lämnade liksom inget telefonnummer eller så. Bara ett meddelande, i bästa Liemann-stil, skrivet på pergament med krusidullig, uråldrig handstil. Som om han hade doppat en fjäderpenna i blod eller något."

"Låter typiskt Kliemann", sa Annie med ihålig röst.

"Jag har försökt få igång Pocki", fortsatte George.

"Lyckades det?"

"Nä", sa George återigen och blickade mot Pockis bur. Hamstersuperdatorn gick omkring och snörvlade i höet och de små blå ögonen var blanka och tycktes inte säga någonting alls. För en gångs skull sprang han inte som en galning i sitt hamsterhjul, vilket han ibland kunde göra flera timmar i sträck. "Jag kontaktade Emmett i går kväll och han gjorde ett försök att upprätta en fjärranslutning, men han sa att han inte heller begrep det här." Emmett var en kompis till Annie och George som bodde i USA och var ett riktigt datageni.

"Skit också", sa Annie sorgset. "Hamsterskit, kanske jag ska säga. Om den rånörden inte klarar det så har vi ingen chans."

"Emmett sa i alla fall en intressant sak om Pocki", berättade George. "Han tror att allt det där springandet i hjulet är Pockis sätt att hålla processorn sval medan han arbetar på något. Det var någonting med kylvätska som pumpas omkring i hans hjärna medan han är aktiv."

"Så Pocki är aktiv, men vi lyckas inte använda honom!" suckade Annie. "Det är så frustrerande! Varför vill inte Pocki hjälpa oss?"

George hann inte svara, för precis i det ögonblicket satte ett gällt, genomträngande oväsen igång i hamsterns bur.

"Var det bebisarna?" frågade Annie, som hade hört det i andra änden.

"Inte bebisarna …", sa George långsamt. "Jag tror att det kom från Pocki."

Pocki hade ställt sig på bakbenen och nosen pekade rakt upp mot taket. Tassarna rörde sig vilt i luften och han stämde upp i ännu ett skrik – ett blodisande ljud som verkade alldeles för högt för att komma från ett så litet djur. Plötsligt vred Pocki på huvudet och stirrade på George med sina små hamsterögon. Tidigare hade de varit blå som himlen, men nu blinkade de i gult.

"Vad är det som händer?" frågade Annie häftigt.

"Pocki ser ut att ha fått någon sorts epileptiskt anfall!"

Men sedan öppnade Pocki munnen. "George", sa han med en röst som lät som en rostig spik mot en griffeltavla. "George."

"*Vem var det?*" skrek Annie i telefonen.

"Pocki …", viskade George, som kände nackhåren resa sig. "Pocki pratade precis med mig!" Såvitt han visste hade Pocki inte sagt så mycket som ett ord tidigare. Till skillnad från Kosmos så hade han varit en knäpptyst superdator. Fram tills för några sekunder sedan.

Men rösten som Pocki använt hade inte varit en hamsters röst, eller ens en dators röst: den tillhörde en människa – en människa som de båda två kände väl.

"Liemann!" sa Annie. "Pocki pratade med doktor Liemanns röst!"

"George", sa Pocki igen, lite tydligare den här gången. "Du måste hjälpa mig."

George började gripas av panik. "Vad ska jag göra?" frågade han i telefonluren.

"Ta reda på vad han vill", uppmanade Annie. "Men låt honom inte lura dig! Glöm inte hur han har behandlat oss tidigare."

"Hur kan jag hjälpa dig?" frågade George, som hade blivit skrämmande medveten om att han pratade med en elektronisk hamster.

"Du måste komma till mig", sa Pocki med blixtrande ögon. "Du måste resa ut i rymden för att träffa mig. Vi måste talas vid!"

"Är det du, Liemann?"

"Vem skulle det annars vara?" frågade hamstern med doktor Liemanns röst.

"Förra gången vi träffades så ville du överge oss så att vårt syre skulle ta slut på en måne fyrtioett ljusår från jorden. Och gången innan försökte du kasta in Eric i ett svart hål."

"Jag har förändrats", sa Pocki kort. "Jag vill hjälpa er."

"Varför skulle jag tro på dig?"

"Det behöver du inte, men om du inte kommer och lyssnar på vad jag har att säga så kommer Eric aldrig att komma hem …"

Även tanken på Freddy, ensam och övergiven för evigt på en

främmande plats, for genom Georges huvud.

"Varför kan du inte berätta det nu?" frågade han och plockade upp den lilla hamstern med båda händerna. "Vad händer med Eric?"

"Eric svävar i stor fara ... det är bara du som kan rädda honom, George. Bara du. Kom och träffa mig. Pocki kommer att föra dig till mig. Jag har inte mycket tid på mig. Du måste ge dig av direkt. Hej då George. Vi ses i rymden!"

"Liemann!" ropade George till hamstern. "Liemann! Kom tillbaka!" Men Pockis ögon hade blivit blå igen och George insåg att förbindelsen hade brutits.

"Vad sa han?" skrek Annie i telefonen.

I samma ögonblick ryckte det till i hamstern och en pytteliten kula ramlade ut ur hans pälstäckta rumpa.

Handen som George höll telefonen i darrade. "Han sa att jag måste komma och träffa honom i rymden!"

"Men var då?" tjöt Annie. "Var i rymden är det meningen att du ska träffa honom?"

"Det sa han inte. Han sa varken vart jag ska eller hur jag ska komma dit!"

"Prova med Pocki igen!" beordrade Annie.

George plockade upp den lilla hamstern och klämde försiktigt överallt på den lilla pälsklädda kroppen för att känna efter om det fanns någon dold knapp de ännu inte upptäckt. Men hamstern bara stirrade på honom med samma uttryckslösa blick som tidigare.

"Jag kommer över", sa Annie.

"Nej, kom inte!" sa George. "Vi har inte tid." Han tog upp den lilla kulan som Pocki hade kastat ut på golvet i buren. Det var en hopknycklad pappersbit. George vecklade upp den och konstaterade att det var en lång, tunn pappersremsa med en rad siffror som slutade med ett versalt H. "Det här verkar också vara ett meddelande ... det kanske är destinationen", sa han långsamt. Han mindes att doktor Liemann en gång hade skickat ett brev till Eric med koordinaterna till en fjärran planet han ville att Eric skulle besöka. Den här sifferkombinationen påminde honom om hur Liemann hade uttryckt den planetens läge. Fast den gången hade det förstås visat sig att planeten inte existerade och att Liemann i själva verket hade skickat Eric rakt mot ett supermassivt svart hål. "Det kanske är här jag ska träffa Liemann ...?"

"Men hur ska du komma dit?" frågade Annie. "Och hur vet vi att det är säkert? Tänk om du sugs in i ett svart hål!"

"Jag kan inte prata nu", sa George, som höll telefonen fastklämd mellan axeln och örat när han hoppade ned från sängen och slet upp garderobsdörren för att ta fram rymddräkten som Eric hade gett honom som ett minne av deras kosmiska resor.

Pocki började röra sig igen och de blå ögonen höll långsamt på att ändra färg – vilket George nu visste var ett tecken på stundande aktivitet.

"Jag kommer över", sa Annie bestämt. "Jag har cykeln med mig, så det går jättefort. Gå ingenstans förrän jag kommer!"

"Nej, Annie", sa George. "Jag är ledsen, men jag har inte tid att vänta!"

Pocki satte sig spikrak upp och hans ögon blinkade i rött. De sköt ut två små ljusstrålar som avbröts mitt i rummet och började rotera så att de bildade en klart lysande cirkel som snurrade runt, runt, runt som Pockis hamsterhjul.

"George!" sa Annie i luren. "Lägg inte på!" Han höll på att dra på sig sin rymddräkt. "Du kan inte ge dig ut i rymden ensam!"

"Jag har inget val!" ropade George, som inte hade fått på sig hjälmen än och därför kunde tala med sin vanliga röst i stället för genom radion. "Om jag inte ger mig av nu så får vi aldrig reda på vad Liemann tänkte berätta! Annie, jag måste ge mig av ..."

Han lade mobiltelefonen på sängen. Framför honom hade Pockis cirkel vuxit. Innanför kunde han se en silverfärgad tunnel som ledde iväg i fjärran utan att avslöja någonting om vad som fanns på andra sidan. George tog på sig hjälmen och andades djupt från syretanken. Nu kunde han höra Liemanns röst igen genom radion.

"George", väste han. "Gå in i ljustunneln."

"Var är du?" frågade George och försökte låta modig trots att han inte alls kände sig så. Han hade aldrig varit så här rädd i hela sitt liv. Det kändes som om blodet hade frusit till is i ådrorna, men hans hjärta dunkade så högt att han trodde att öronen skulle explodera.

"Jag är i andra änden och väntar på dig", sa Liemann. "Följ tunneln, George. Kom till mig."

När George hade klivit igenom Kosmos portal på sina tidigare resor i universum så hade han vanligtvis kunnat se vad som väntade på andra sidan. Men den här gången fanns bara den skimrande silvertunneln som ringlade iväg utan att visa vart den skulle föra honom.

Vad väntade honom på andra sidan? Ett paralleluniversum? En annan plats i tiden? Svängde tunneln bortåt för att den följde rumtidens krökning till någon mystisk destination långt från jordens gravitationsfält? Vad skulle han hitta på andra sidan? Det fanns bara ett sätt att ta reda på det.

"Du måste ge dig ut på den här resan om du vill rädda Eric", viskade Liemann. "Ta första steget, George. Tunneln kommer att leda dig till mig."

"*George!*" ropade Annie i telefonen på sängen. George kunde fortfarande höra de små ljuden runtomkring tack vare den externa mikrofonen på hjälmen. "Jag hör också Liemann! Gå inte!"

George tvekade. Sedan hörde han en annan röst i telefonen. Det var Vincent.

"George", sa han. "Stick inte iväg ensam, kompis! Det kan vara farligt. Annie har berättat om portalen och doktor Liemann. Gör inte det här!"

Va? tänkte George och kände sig irriterad. Vad gjorde Vincent

med Annie hos hennes moster? Hade Vincent lyssnat på hela samtalet med Annie? Kände Vincent till portalen och Kosmos och doktor Liemann? Kände Vincent till alla hemligheterna som han och Annie troget svurit att aldrig avslöja för någon? Försökte karatemästaren och skateboardkungen Vincent – som verkade vara Annies nye bästis – tala om för *George* vad han skulle göra?

Vincent verkade tro att George inte skulle klara detta. Trodde han att George inte var modig nog att rädda Eric, som var Georges mentor och läromästare och Annies pappa? "Jag ska visa dig, Vincent", mumlade han för sig själv. "Och jag ska rädda dig, Eric, även om ingen annan tänker göra det."

"Farväl, jordbor", fortsatte han högdraget. "Nu ger jag mig ut i rymden. Jag kanske blir borta ett tag."

Han klev framåt genom Pockis hjul av ljus, som sög in honom i tunneln lika snabbt som om han dykt ned för en vattenrutschkana. George flög genom silvertunneln med huvudet före och händerna utsträckta framför sig. Han svängde fram och tillbaka när han drogs ut ur sitt rum mot ett okänt mål.

George hade inte tid att tänka – han färdades med enorm hastighet genom ett töcken av starkt ljus på väg att möta sin före detta dödsfiende, doktor Liemann, i de stora kosmiska vidderna som utgör vårt universum.

Han tyckte att han hörde Annie skrika från en plats som redan var flera ljusår bakom honom och ljudet ekade runt hans hjälm:

"Neeeeeeej!"

Men det var för sent. George var borta.

Den fyrdimensionella rumtiden

När vi vill resa någonstans på jorden så tänker vi för det mesta bara i två dimensioner – hur långt norrut eller söderut, och hur långt österut eller västerut. Kartor fungerar på det sättet. Vi använder hela tiden tvådimensionella riktningar. För att köra någonstans behöver man till exempel bara åka rakt fram (eller backa) eller svänga till vänster (eller höger). Det beror på att jordens yta är ett tvådimensionellt rum.

Piloten i ett flygplan sitter däremot inte fast på jordens yta! Flygplanet kan flyga uppåt och nedåt – förutom positionen ovanför jordytan kan det också byta höjd. När piloten flyger planet så kommer "norrut", "österut" eller "uppåt" att betyda olika saker beroende på var flygplanet är. "Uppåt" betyder till exempel bort från jordytan, så det skulle vara stor skillnad mellan att åka i den riktningen ovanför Australien och ovanför Sverige!

Samma sak gäller för befälhavaren på ett rymdskepp långt borta från jorden. Befälhavaren kan välja fritt mellan tre referensriktningar – men de måste alltid vara tre, för rummet där jorden, solen, stjärnorna och alla planeterna finns är tredimensionellt.

Om vi är på väg till någonting, som en fest eller en match, så räcker det förstås inte att veta *var* den ska äga rum! Vi måste också veta *när*. Varje händelse i universums historia behöver därför *fyra* riktningar, eller koordinater, tre för rummet och en för tiden – så för att ge en fullständig beskrivning av universum och vad som händer i det så måste man tala om en fyrdimensionell *rumtid*.

Relativitetsteorin

Einsteins speciella relativitetsteori säger att naturens lagar, i synnerhet ljusets hastighet, kommer att förbli likadana oavsett hur snabbt man rör sig. Det är lätt att förstå att två människor som rör sig relativt till varandra inte kommer att hålla med varandra om avståndet mellan två händelser: för en betraktare på marken kommer exempelvis två händelser som inträffar på samma plats i ett jetplan att skiljas åt av sträckan som jetplanet har färdats mellan händelserna. Så om dessa två människor försöker mäta hastigheten på en ljuspuls som färdas från flygplanets stjärt till dess nos så kommer de inte att hålla med varandra när det gäller sträckan som ljuset har färdats från att den skickades ut tills att det togs emot vid nosen. Men eftersom hastighet är den resta sträckan delat med resetiden så kommer de inte heller att hålla med varandra om hur lång tid som går mellan att ljuset skickas ut och tas emot – om de är överens om ljusets hastighet, alltså, vilket Einsteins teori säger att de är!

Det här visar att tiden inte kan vara absolut, som Newton trodde: man kan inte sätta en tidpunkt på varje händelse som alla kommer att vara överens om. I stället kommer varje person att ha sitt eget mått på tiden och tiderna som uppmäts av två människor som rör sig relativt till varandra kommer inte att stämma överens.

Man har testat detta genom att låta ett väldigt exakt atomur flyga runt jorden. När det kom tillbaka hade det uppmätt något mindre tid än en likadan klocka som stannat kvar på samma plats. Det innebär att man skulle kunna förlänga sitt liv genom att hela tiden flyga runt jorden! Tyvärr är effekten väldigt liten (cirka 0,000002 sekunder per varv) och den skulle nog minst sagt omintetgöras av all flygmat man fick äta!

Kapitel tolv

George flög ut ur tunnelns andra ände och kanade med ansiktet nedåt över en kal stenyta. Allt var fortfarande suddigt efter det starka, virvlande ljuset i silvertunneln. Under några sekunder såg han stjärnor framför ögonen, men sedan lyfte han huvudet och såg flera tusen till som lyste klart på den svarta himlen runt honom.

När han kikade upp kunde han se något annat också. En stor svart känga dök upp framför honom och sedan ytterligare en. George rullade runt och blickade upp på en gestalt i svart rymddräkt som tornade upp sig över honom. Ansiktet doldes av hjälmens mörka glas. Men det spelade ingen roll: George behövde inte se ansiktet för att förstå att det här var doktor Liemann, den motarbetade vetenskapsmannen och galningen som än en gång gick lös i universum.

Bakom Liemanns huvud bredde himlen ut sig och den var så mörk att vetenskapsmannen nästan tycktes försvinna i den med sin mörka rymddräkt. Runtomkring kunde George bara se kal,

grå sten med stora kratrar. Hans muskler kändes som gelé efter resan och han kämpade för att sätta sig upp.

"Du kan ställa dig", sa Liemann torrt. "Jag valde en asteroid med så pass stor massa att man inte glider iväg."

När George hade landat på en komet på sin första rymdresa med Annie så hade de varit tvungna att förankra sig på den potatisformade klumpen av sten och is eftersom dess gravitationsfält inte var starkt nog för att hålla dem kvar på ytan. Den kometen hade huvudsakligen bestått av stoft, is och frusen gas, men den här asteroiden var större och gjord av ett mycket tätare material: gravitationsfältet här tycktes vara starkt nog för att hålla George på plats.

"Var är vi?" frågade han och vacklade lite när han kom på fötter.

"Du menar att du inte ser något du känner igen?" sa Liemann. "Ingen vacker blågrön planet som hänger i närheten och bara tycks vänta på att du räddar den?"

George kunde inte se något annat än stjärnor. Tunnelns mynning hade försvunnit helt

och det fanns inte längre någon flyktväg från Liemann och den underliga, steniga platsen.

"Nej, självklart inte", fortsatte Liemann. "Du skulle inte känna igen speciellt mycket av din egen galax om jag tog med dig ut i Vintergatan. Men du är inte ens i din egen hemgalax nu. Du har rest längre bort än någonsin tidigare."

"Är vi i ett annat universum?" frågade George. "Var det där ett maskhål?"

"Nej", sa Liemann. "Det där var min förbättrade version av portalen. En dörröppning känns så fruktansvärt gammaldags, eller hur? Eric var alltid en sådan traditionalist. Det trodde du inte, va? Hans teorier förändrade allt vi trodde vi visste om universum, men när han skulle göra en portal så utformade han den som sin egen ytterdörr. Det här är Andromeda, George."

"En annan galax …?" sa George med förundran i rösten.

ANDROMEDA

 Andromedagalaxen (även känd som M 31) är Vintergatans närmaste stora galax och de två galaxerna är de största föremålen i Lokala galaxgruppen. Lokala galaxgruppen är en grupp om minst 40 närliggande galaxer som är starkt påverkade av varandras gravitation.

 Andromedagalaxen ligger 2,5 miljoner ljusår bort och är egentligen inte vår allra närmaste galax (den äran tillfaller förmodligen dvärggalaxen Canis Major), men det är den närmaste med jämförbar storlek och massa.

 Enligt aktuella beräkningar har Vintergatan större massa (inklusive mörk materia), men Andromeda innehåller fler stjärnor.

 Andromeda är spiralformad, precis som Vintergatan.

 I likhet med Vintergatan har Andromeda ett supermassivt svart hål i centrum.

En annan likhet med Vintergatan är att åtskilliga (minst 14) dvärggalaxer kretsar runt Andromeda.

Andromeda skiljer sig från de flesta andra galaxer genom att ljuset vi tar emot därifrån är blå-förskjutet. Det beror på att universums expansion – som får galaxer att röra sig bort från varandra – har övervunnits av gravitationen mellan de två galaxerna och att Andromeda därför är på väg mot Vintergatan med en hastighet på cirka 300 km/sek. De två galaxerna kan kollidera om cirka 4,5 miljarder år och senare slås samman – eller så missar de varandra. Man tror inte att kollisioner mellan galaxer är någonting ovanligt – det verkar faktiskt som om den lilla dvärggalaxen Canis Major håller på att gå ihop med Vintergatan just nu!

"Vår granne", bekräftade Liemann och svepte omkring sig med armen. "Det här är den galaktiska motsvarigheten till grannhuset. Med tanke på hur stort universum är så är det ingen dålig jämförelse. Märker du något?"

"Stjärnorna ser likadana ut …", sa George långsamt. "Den här asteroiden ser ut som en asteroid. Jag förmodar att vi är i omlopp runt en stjärna, så vi är i ett annat solsystem. Det skiljer sig egentligen inte så mycket från Vintergatan."

"Precis", sa Liemann och nickade. "Visst är det anmärkningsvärt. På nära håll finns det inga stenar som är exakt likadana. Inga planeter, inga stjärnor, inga galaxer. Vissa delar av rymden innehåller bara gasmoln och mörk materia, men på andra håll hittar man stjärnor, asteroider och planeter. Vilken mångfald! Nu är vi två och en halv miljon ljusår från jorden, men saker och ting ser inte så annorlunda ut. Den här asteroiden kunde lika gärna ha funnits i vårt eget solsystem och de där stjärnorna kunde ha tillhört Vintergatan. Variationerna här är samma som i vår egen galax. Vad tror du att det innebär, George? Svara på det så ska jag tala om varför vi är här."

Eric kom att tänka på Erics föreläsning. "Det innebär att allting överallt bildades på samma sätt, av samma material och enligt samma regler. Men de små skiftningarna vid tidernas början fick allt att skilja sig lite från allting annat."

"Utmärkt! Det gläder mig att åtminstone en av mina före detta elever kan visa att han har haft nytta av sin utbildning."

"Varför har du fört mig hit?" frågade George modigt. "Vad vill du den här gången?"

LIKFORMIGHET I RYMDEN

För att kunna tillämpa den allmänna relativitetsteorin på universum som helhet så måste man normalt sett förutsätta följande:

alla platser i rymden bör bete sig på samma sätt (homogenitet)

och alla riktningar i rymden bör se likadana ut (isotropi).

Detta ger en bild av ett universum som:

är likadant överallt

börjar med en stor smäll

och sedan expanderar lika mycket överallt.

Den här bilden har starkt stöd av astronomisk observation – det vill säga det i rymden vi kan se genom teleskop på marken och i rymden.

Ändå kan alla platser i universum inte vara exakt likadana, eftersom strukturer som galaxer, stjärnor, solsystem, planeter och människor då inte skulle kunna existera. Ett mönster av pyttesmå *krusningar* behövs för att förklara hur de första områdena av gas och mörk materia kunde börja kollapsa så att fysikens lagar kunde fortsätta med bildandet av stjärnor och planeter.

Eftersom gasen och den mörka materien är nästan enhetlig till att börja med, och eftersom vi tror att samma fysikaliska lagar gäller överallt, så räknar vi med att alla galaxer bildas på liknande sätt. Avlägsna galaxer borde alltså innehålla stjärnor, planeter, asteroider och kometer som liknar dem vi kan se i vår hemgalax Vintergatan.

Man förstår ännu inte helt var de första små krusningarna kom från. Den bästa teorin för tillfället gör gällande att de kom från mikroskopiska vibrationer som förstärktes av en väldigt snabb expansionsfas – så kallad *inflation* – som ägde rum under en mycket liten bråkdel av den första sekunden efter stora smällen.

”Jag vet inte riktigt om jag gillar den tonen.” Nu lät Liemann ungefär som han hade gjort under sin tid som lärare vid Georges gamla skola.

”Jag vet inte riktigt om jag gillar att skjutas ut i rymden av en talande hamster”, sa George.

”Naturligtvis inte”, sa Liemann hastigt. ”Jag kan förstå att det där kom lite oväntat. Men det fanns inget annat sätt för mig att kontakta dig på.”

”Jaså?” sa George. ”Var det inte du som bröt dig in hemma hos mig mitt i natten och lämnade en lapp i min skolbok?”

”Jo, jo”, sa Liemann. ”Visst var det jag.” Han verkade ovanligt nervös, vilket inte var likt den gamle Liemann som alltid haft fullt förtroende för sin egen ondskefulla förmåga. ”Jag försökte påkalla din uppmärksamhet. Jag kunde inte hitta Eric i huset bredvid, så jag gick och lämnade ett meddelande till dig i stället.”

”Varför kom du inte bara och pratade med mig om det var så viktigt?”

”För att jag inte kan”, sa Liemann frustrerat. ”Jag kommer ingenstans och kan inte göra något – jag sitter fast. Efter att jag smög iväg till era hus i går natt har de börjat bevaka mig ännu hårdare. De vet inte att jag besökte dig, men de vet att jag försvann någonstans och det har gjort dem misstänksamma. Det är därför jag var tvungen att träffa dig i rymden. Det är det enda säkra stället för oss att prata på. Jag hade aldrig kunnat kontakta dig – och definitivt inte Eric – med jordiska metoder. Det skulle ha sabbat vår enda chans att stoppa dem.”

”Vem är det som bevakar dig?” frågade George.

"TOARING", sa Liemann. "De är överallt." Han såg sig omkring medan han pratade, som om organisationens medlemmar kunde komma svävande förbi asteroiden i den här okända delen av Andromedagalaxen. "De är den osynliga, mörka kraften. De finns överallt runt omkring oss."

"Det låter som om det är den mörka materien du pratar om", sa George. "Det osynliga materialet som utgör tjugotre procent av det kända universum."

"Du har helt rätt, George", sa Liemann allvarligt. "De är mänsklighetens mörka materia. Man kan inte se dem, men man kan påvisa deras existens genom effekten de har på sin omgivning."

För en gångs skull tycktes han tala direkt från hjärtat – om han nu hade något.

"Var det de svartklädda människorna utanför Erics föreläsning?" ville George veta.

"Det var några av medlemmarna. Det finns många fler – det är ett kolossalt nätverk. Jag var också där vid demonstrationen – jag kunde inte komma i närheten av dig, så jag försökte kontakta dig via den där pojken. Det lyckades tyvärr inte."

"Jag visste det!" sa George. "Jag visste att det var du! Men jag förstod inte riktigt varför. Jag begriper inte varför TOARING gör allt det här. Varför skulle det vara så illa om Eric upptäckte teorin om allt? Vad är det som är så farligt med att förstå universums ursprung?"

"För dig och mig skulle det vara ett stort steg framåt. För TOARING skulle det vara ett kraftfullt, förödande bakslag."

"Är det på grund av det äkta vakuumet och vad det skulle kunna orsaka?" frågade George.

"Ledarna tror egentligen inte att universum kommer att slitas sönder av en växande, förintande bubbla som läcker ut ur LHC-acceleratorn", förklarade Liemann. "Det där är bara en hemsk undergångsteori som de använder för att skrämma folk så att de går med i deras organisation och får nätverket att växa. Nej, det är någonting annat de är rädda för."

"Vad då?"

Asteroiden rusade vidare i sin omloppsbana runt en väldigt starkt lysande ung stjärna som var några få miljarder år yngre än vår sol. Medan George tittade slog två stycken stenblock, som vart och ett var ungefär hundra meter långt, in i varandra med samma energi som vid en kärnexplosion. Ett moln av pulveriserat stoft spred sig utåt. Det här unga solsystemet var en mycket

våldsam plats och många liknande fragment for omkring runt
stjärnan i centrum. Till sist skulle planeter bildas och suga upp
all bråten som blev över efter explosionerna, men för tillfället så
var det en kaotisk, farlig plats att vistas på. Fast att döma av det
Liemann sa så var nästan alla ställen i universum bättre än jorden
för tillfället, tänkte George.

"Ledarna för TOARING är övertygade om att Erics experi-
ment på sikt kommer att få andra resultat", sa Liemann. "De tror
att vetenskapsmän, när vi väl har en teori om allt, kommer att
använda kunskapen på en rad olika sätt. De tror till exempel att
det kommer bli möjligt att skapa en ny, ren, billig och förnybar
energikälla."

"Men vem vill inte ha en sådan?" utbrast George.

"Jag har brutit mig in i deras hemliga medlemsregister",
förklarade Liemann. "Jag är alltså en av ytterst få personer

som faktiskt vet vilka som leder TOARING. Ledarna kommer huvudsakligen från stora bolag som hellre fortsätter med kol, olja, gas eller kärnkraft än letar efter förnybara energikällor. De tror att experimenten vid LHC-acceleratorn en dag kan ge oss ledtrådar till hur man får fram ren och billig energi – och det vill de inte."

"Urgh!" sa George. "Är det de där typerna som fördärvar havet och förgiftar atmosfären med växthusgaser?" Han tänkte på sina föräldrar, som var miljöaktivister och gjorde sitt yttersta för att rädda planeten. De var bara normala, vanliga, snälla människor som försökte göra en insats för livet på planeten jorden. Vad skulle de ha för chans mot sådana här mäktiga motståndare?

"Inte bara", varnade Liemann. "Det finns också en grupp inom TOARING som tror att en enhetlig teori om de fyra krafterna kommer att medföra slutet på alla krig. De tror att vi då till sist kommer att inse att vi allihop är likadana, att vi allihop tillhör människosläktet. Det kan öka medvetenheten om problemen på jorden och sätta punkt för konkurrensen om tillgångar när de rika länderna börjar hjälpa de fattigare."

George trodde knappt sina öron. "Vill de inte ha fred?"

"Nej", sa Liemann kort. "De tjänar massor med pengar på att sälja vapen och militärutrustning så att folk kan döda varandra. De föredrar faktiskt att vi fortsätter kriga."

"Vilka är de mer?" frågade George.

"Tja, det finns ett par astrologer som tror att deras förutsägelser ska bli värdelösa när Eric och de andra vetenskapsmännen kan förklara allt. Då kommer de inte att

kunna tjäna mer pengar på att ställa horoskop via internet. Det
finns en TV-predikant som är rädd för att ingen ska vilja bli
frälst av honom om Eric lyckas. En annan grupp har anslutit sig
av ren skräck – skräck för vetenskapen och vad den kan orsaka i
framtiden. Det finns till och med några vetenskapsmän."

"Vetenskapsmän?" frågade George chockat. "Varför skulle en
vetenskapsman vilja gå med i TOARING?"

"Jag själv var till exempel en", sa Liemann. "Fast man kan
förstås inte säga att jag gick med – jag infiltrerade TOARING
för att spionera på dem. Jag hörde talas om en hemlig,
vetenskapsfientlig organisation och anslöt mig till den för
att ta reda på mer – mitt kodnamn är *Isaac*, efter en av de
största vetenskapsmännen någonsin, Isaac Newton. För att få
medlemskap ljög jag för dem och sa att Eric och jag fortfarande
är svurna fiender. Än så länge är det ingen som vet att han
och jag har slutit fred, så de trodde på mig och beviljade min
medlemsansökan."

"Känner Eric till att du är med i TOARING?" frågade George.

"Nej", medgav Liemann. "Men jag önskar att han gjorde det.
Jag ville prata med honom om deras planer, men insåg att jag
skulle utsätta honom för ännu större faror om jag kontaktade
honom direkt."

"Vilka är de andra vetenskapsmännen?"

"Det är svårare att svara på", sa Liemann. "Vi får inte lov att
träffa varandra. Vi har olika uppgifter att sköta och våra vägar
korsas aldrig."

"Vad hade du för uppgift?"

George anade en viss stolthet i Liemanns röst. "Min uppgift var att tillverka en bomb, en riktigt kraftfull och intelligent bomb. De ville att jag skapade en bomb som var omöjlig att desarmera. På de flesta bomber räcker det med att kapa lite sladdar för att de inte ska detonera. TOARING ville ha en bomb som exploderade även om man klippte av sladdarna eller kände till koden. De sa att det bara handlade om en prototyp som de behövde för experimentella syften", tillade Liemann snabbt.

"Du menar väl inte att du byggde den?" sa George häpet. "Du tillverkade väl inte en fungerande bomb och lämnade den i händerna på ett gäng ljusskygga, livsfarliga vetenskapshatare?"

"Det är klart att jag gjorde!" sa Liemann med förvåning i rösten. "Varför skulle jag bygga något som inte fungerade?"

"Öhm, så att det inte gick att spränga något med den?" sa George.

"Men jag är vetenskapsman!" gnällde Liemann. "Jag kan ju knappast konstruera något som inte fungerar! Det måste bli

rätt – annars är jag ingen vetenskapsman! Och det skulle vara ..."
Han kom av sig.

"Det är nog bäst att du berättar för mig om den där bomben",
sa George och försökte vara tålmodig.

"Visst, okej", sa Liemann och lät lite mer entusiastisk
igen. "Den är otroligt smart! Och den kan spränga vad som
helst – verkligen vad som helst!"

"Japp, jag har förstått det", sa George. "Du har sagt det ett par
gånger nu."

"Förlåt, förlåt!" sa Liemann. "Ja, jag byggde en bomb med
åtta brytare. Man anger en kod på en knappsats för att brytarna
ska aktiveras. När man sedan trycker in de åtta brytarna uppstår
en superposition av åtta tillstånd. Så snart alla åtta brytarna har
tryckts in börjar nedräkningen automatiskt."

"Och vad är det som är så vansinnigt supersmart med det
hela?" frågade George.

Liemann lät lite skrytsam. "Eftersom det är en kvantmekanisk
bomb så har det bildats en kvantsuperposition av de olika
alternativen inuti detonatorn. Det innebär att den som försöker
desarmera bomben genom att skära av en kabel eller ändra ett
brytarläge bara kommer att spränga sig själv och alla andra
i luften. Det är det som är poängen – de ville ha en bomb
som inte kan desarmeras, utifall att det fanns förrädare inom
TOARING."

"Jag fattar inte", sa George.

"Bomben är gjord på ett sådant sätt att ingen enskild brytare
kan stänga av den. Den är i en kvantsuperposition av åtta olika

tänkbara brytare. Detonatorn 'bestämmer' inte vilken brytare som faktiskt används förrän någon trycker på en av dem för att försöka hindra bomben från att sprängas och kretsen kollar huruvida det är korrekt. I ett sådant läge kollapsar vågfunktionen slumpmässigt till ett av de åtta tänkbara alternativen. Bomben skulle förmodligen detonera omedelbart även om man tryckte in alla brytarna samtidigt. Det jag menar är alltså att den exploderar oavsett vad man gör med den."

"Varför gjorde du det här?" frågade George nedslaget.

"För att jag ville visa hur smart jag är", sa Liemann tjurigt. "Jag förstod inte att de faktiskt tänkte använda den förbannade bomben. De sa att det bara var ett experiment."

"Och var är den nu, den här kvantmekaniska bomben som är omöjlig att desarmera?"

"Tja, inte vet jag!" sa Liemann med panikslaget tonfall. "Det är det som är problemet – den är borta!"

"Vad då borta?"

"De har fört bort den. Och att döma av det jag har fått fram genom att bryta mig in i deras datorer så tänker de verkligen använda den. Var är Eric?"

"Han är vid LHC-acceleratorn", sa George modfällt medan det hemska med hela situationen långsamt sjönk in. "Han är på ett möte med Sällskapet för Vetenskaplig Forskning i Mänsklighetens Tjänst. Varenda fullvärdig medlem i Sällskapet är där. De har sammankallats."

"Det förklarar saken!" tjöt Liemann. "Det är där de tänker använda bomben! De tänker använda den för att förinta

acceleratorn och inte bara Eric, utan alla världens ledande
fysiker!"

"Men ... men ... men hur kan de känna till mötet?" flämtade
George.

"Jag har länge misstänkt att det finns en spion inom Sällskapet
för Vetenskaplig Forskning", sa Liemann. Han pratade fort nu.
"En av vetenskapsmännen i TOARING måste också vara medlem
i Sällskapet för Vetenskaplig Forskning. Han eller hon måste ha
avslöjat Sällskapets planer för TOARING."

"Kan jag vara helt säker på att det inte är du?" frågade George
häftigt.

"Jag är inte ens med i Sällskapet för Vetenskaplig Forskning",
sa Liemann sorgset. "Det kan alltså inte vara jag. Mitt medlem-
skap drogs in för många år sedan och de har inte beviljat mig
något nytt sedan dess. Det är någon annan – någon väldigt farlig
person."

"Varför försöker du hjälpa Eric?" frågade George.

"George, jag vet att du inte har särskilt höga tankar om mig",
sa Liemann. "Men tro mig, det finns ingenting jag älskar lika
högt som naturvetenskapen. Jag tänker inte bara stå och titta
på medan flera hundra års hårt arbete tillintetgörs av giriga,
fördomsfulla idioter. Jag gick med i TOARING för att försöka
stoppa dem. Det är därför jag är här."

Det snurrade i huvudet på George. Var det verkligen möjligt
att Liemann talade sanning? Det här skulle i så fall vara första
gången som han inte hade något dödligt knep i skjortärmen
och försökte hämnas på Eric. Han kastade en blick på Liemann

Om det inte fanns några krafter så skulle partiklarna som kolliderar inuti maskiner som LHC-acceleratorn förbli likadana som när de skickades in. Det är krafter som låter fundamentala partiklar påverka varandra vid kollisioner (och även förvandlas till andra partiklar!) genom att avge och absorbera speciella kraftbärande partiklar som kallas *gaugebosoner*.

Fysiker kan beskriva en kollision genom att använda *Feynmandiagram*. Sådana diagram visar hur partiklar kan spridas när de kolliderar. Ett enskilt Feynmandiagram är bara en del i beskrivningen av en sådan kollision och diagrammen måste sammanställas för att man ska få en fullständig beskrivning av en kollision.

Det här är ett diagram av den enklaste sorten, som visar två elektroner som närmar sig varandra, utväxlar en enda foton och sedan fortsätter vidare. Tiden redovisas från vänster till höger, sicksacklinjen är en foton och de räta linjerna visar elektronerna (som är märkta med "e"). Det här diagrammet täcker samtliga fall där fotonen färdas uppifrån och ned eller nedifrån och upp (det är därför sicksacklinjen är lodrät).

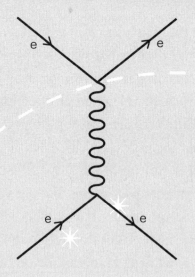

FEYNMANDIAGRAM

I mer komplicerade processer förekommer mer än en virtuell partikel, och Feynmandiagrammen blir då mer invecklade. Det här är till exempel ett med två virtuella fotoner och två virtuella elektroner:

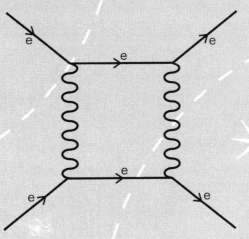

Det krävs oändligt många diagram för att helt beskriva varje typ av partikelreaktion. Som tur är så behöver forskarna oftast bara använda de enklaste för att göra väldigt goda uppskattningar. Här är ett diagram som ger en bild av vad som kan hända i LHC-acceleratorn när protoner kolliderar! Bokstäverna "u", "d" och "b" är kvarkar och "g" är gluoner.

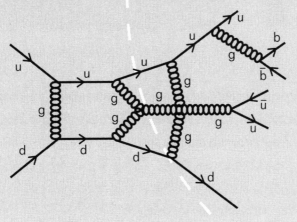

... men någonting hade hänt med honom medan George stått försjunken i tankar. Han verkade blekna bort och försvinna in i den mörka Andromedagalaxen som omgav honom.

"George", sa Liemann snabbt. "Vi har mindre tid på oss än jag trodde."

"Vad är det som händer med dig?"

"Jag är inte verklig." Liemann talade väldigt fort nu. George kunde inte längre se hans silhuett – bara små trianglar av återspeglat stjärnljus på hans blanka hjälm och stövlar. "Det här är bara en datorgenererad bild av mig själv. Detta var enda sättet jag kunde träffa dig på. När jag inte hittade Pocki, Eric eller Kosmos så bröt jag mig in i ditt hus och lämnade en omkopplare på nedervåningen. Med hjälp av den omkopplaren kunde jag använda Pocki för att skicka hit mig själv och öppna portalen du kom genom."

"Varför skickar du inte en bild av dig själv till acceleratorn och berättar för dem?" skrek George. "Varför ska *jag* göra det här?"

"Jag kan inte ta mig till acceleratorn!" sa Liemann, vars röst blev allt mer förvanskad. "Jag kommer inte att kunna fly från dem en gång till."

"Och din kvantmekaniska bomb?" tjöt George.

"Det finns ett sätt! Jag är ingen idiot! Jag har gjort en obser-vation ... Pocki skickade dig en kod ..."

"Va? Hur ska jag använda Pockis kod? Hur ska jag desarmera bomben?"

Men det enda svaret George fick var en svag viskning genom radion: "George ..."

Och med de orden blev universum tyst runt honom. Där Liemann nyss hade stått hade silvertunneln öppnats på nytt. George sögs framåt och in i floden av ljus.

Han for fram på en krokig resa genom universum med obegriplig hastighet. Det var flera triljoner mil från Andromeda till Vintergatan, som består av materia och mörk materia – den mystiska mörka substansen som omger oss men som vi varken kan se, känna eller höra. En tanke dök upp i hans huvud där han for fram. *Jag har besökt den mörka sidan*, sa han för sig själv. *Jag har besökt mörkret.*

Universums mörka sida

En av de mest grundläggande frågor man kan ställa är: Vad är världen gjord av?

För länge sedan lade den grekiske filosofen Demokritos fram en teori om att allt består av odelbara byggstenar som han kallade *atomer*. Han hade rätt – och vi har ägnat de senaste 2 000 åren åt att fylla i detaljerna.

Alla saker vi möter i vardagen består av en kombination av de 92 olika typerna av atomer: grundämnena i det periodiska systemet – väte, helium, litium, beryllium, bor, kol, kväve, syre – hela vägen till uran, nummer 92. Växter, djur, stenar, mineraler, luften vi andas och allt annat här på jorden består av dessa 92 byggstenar. Vi vet också att vår sol, de andra planeterna i vårt solsystem och andra stjärnor långt borta är uppbyggda av samma 92 grundämnen. Atomer är något vi förstår riktigt väl och vi har blivit mästare på att pussla ihop alla möjliga grejer med dem, inklusive min personliga favorit: pommes frites! Vetenskapen som kallas kemi handlar om att bygga olika saker med atomer. Det är ungefär som Lego med atomer.

Numera vet vi att det finns mycket mer i universum än bara vårt solsystem – världsrymden är hisnande stor och innehåller miljarder galaxer som var och en består av miljarder stjärnor och planeter. Vad är då universum gjort av? Här kommer den stora överraskningen: trots att vårt solsystem och de andra stjärnorna och planeterna är uppbyggda av atomer så är det mesta som finns ute i universum *inte* det. Det består i stället av väldigt underliga saker – mörk materia och mörk energi – som vi inte alls förstår oss på lika väl som atomer.

Först lite siffror: universum i stort består av 4,5 procent atomer, 22,5 procent mörk materia och hela 73 procent mörk energi. En parentes: endast cirka en tiondel av dessa atomer finns i stjärnor, planeter och levande varelser. Resten existerar i en gasform som är för het för bildandet av stjärnor och planeter.

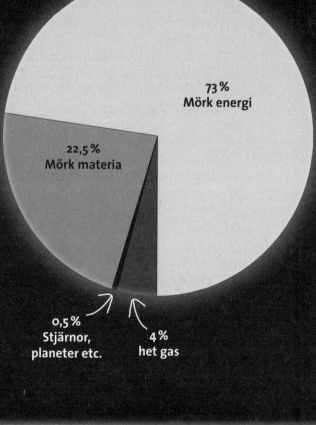

73 %
Mörk energi

22,5 %
Mörk materia

0,5 %
Stjärnor,
planeter etc.

4 %
het gas

Låt oss börja med den mörka materien. Hur vet vi att den existerar? Vad är mörk materia? Hur kommer det sig att den inte finns på jorden eller ens i solen?

Att den finns vet vi för att dess gravitation håller samman vår galax, Andromedagalaxen och alla de andra stora strukturerna i universum. Den synliga delen av Andromedagalaxen och alla andra galaxer befinner sig i mitten av en enorm (tio gånger så stor) sfär av mörk materia (astronomer kallar den en mörk halo). Utan den mörka materiens gravitation skulle de flesta stjärnor och solsystem – liksom allt annat i galaxerna – fara iväg ut i rymden, vilket inte vore så bra.

För tillfället vet vi inte riktigt vad den mörka materien består av. (Ungefär som Demokritos, som hade sin idé om atomer men saknade detaljerna.) Vi vet däremot följande.

Den mörka materiens partiklar är inte uppbyggda av samma komponenter som atomer (protoner, neutroner och elektroner); det är en ny form av materia! Att vi inte känner till dessa är inte så konstigt – det tog nästan 200 år att identifiera alla de olika typerna av atomer och många nya former av atomär materia har upptäckts under historiens gång.

Eftersom den mörka materien inte består av samma beståndsdelar som atomer så är den mestadels oberörd av atomer (och vice versa). Den mörka materiens partiklar påverkas inte heller av varandra. En fysiker skulle säga att växelverkan mellan den mörka materiens partiklar och atomer (liksom partiklarnas växelverkan med varandra) är mycket svag, om den ens existerar. När vår egen och andra galaxer bildades förblev den mörka materien därför samlad i den väldigt stora och diffusa halon av mörk materia medan atomerna kolliderade med varandra och sjönk till den mörka halons centrum där stjärnor och planeter, som består nästan uteslutande av atomer, bildades.

Det är alltså för att den mörka materiens partiklar är så

"skygga" som stjärnorna, planeterna och vi själva består av atomer och inte mörk materia.

Icke desto mindre så far den mörka materiens partiklar hela tiden omkring även i våra hemtrakter. En vanlig kopp te innehåller till exempel alltid ungefär en sådan partikel. Och det är det som är nyckeln till att pröva denna djärva idé. Den mörka materiens partiklar är skygga, men kan i vissa fall lämna omisskännliga spår i väldigt, väldigt känsliga partikeldetektorer. Av den anledningen har fysiker byggt stora detektorer och placerat dem under marken (för att skydda dem från den kosmiska strålningen som bombarderar jordens yta) för att försöka se om vår halo verkligen består av den mörka materiens partiklar.

Vad som är ännu mer spännande är möjligheten att skapa nya mörk materia-partiklar med en partikelaccelerator genom att förvandla energi till massa enligt Einsteins berömda formel $E = mc^2$.

LHC-acceleratorn i Genève, Schweiz, är den mest kraftfulla partikelacceleratorn som någonsin har byggts. Med dess hjälp försöker man att skapa och upptäcka den mörka materiens partiklar.

Det finns också satelliter som letar efter delar av atomer som bildas vid de tillfällen då den mörka materiens partiklar i halon kolliderar så att vanlig materia uppstår. (Vilket är motsatsen till vad man försöker åstadkomma med partikelacceleratorer.)

Om en eller flera av de här metoderna lyckas – och jag hoppas att minst en av dem ska göra det – så kommer vi att kunna bekräfta att majoriteten av universums materia är uppbyggd av någonting annat än atomer. Wow!

Nu ska vi prata om naturvetenskapens allra största mysterium: *mörk energi*. Denna energi är en så stor gåta att jag är säker på att den kommer att förbli olöst ett tag. Kanske blir det någon av er läsare som knäcker den? En lösning skulle till och med kunna kullkasta Einsteins teori om gravitationen, den allmänna relativitetsteorin!

Vi vet alla att universum expanderar och har vuxit i storlek under de 13,7 miljarder år som gått sedan den stora smällen. Sedan Edwin Hubble upptäckte denna expansion för mer än 80 år sedan har astronomer försökt mäta hur mycket expansionen bromsas av gravitationen. Gravitationen är kraften som håller oss kvar på jorden, ser till att alla planeter ligger i omloppsbana runt solen och fungerar som naturens kosmiska lim i största allmänhet. Gravitationen är en attraherande kraft – den drar samman saker och bromsar in både bollar och raketer som skickas iväg från jorden – och universums expansion borde därför bromsas av alla grejer som attraherar varandra.

1998 upptäckte emellertid astronomer att den här enkla men högst logiska idén knappast kunde vara mer *fel*. De fann att universums expansion inte håller på att avta utan tvärtom *accelererar*. (De kom fram till detta genom att använda teleskop som ett slags tidsmaskiner. Det tar tid för ljuset att färdas till oss genom universum så när vi tittar på avlägsna föremål i dag så ser vi hur de såg ut för mycket länge sedan. Med hjälp av mycket kraftiga teleskop – bland annat Hubbleteleskopet – kunde de se att universum expanderade långsammare för länge sedan.)

Varför är det så? Enligt Einsteins teori finns det någonting – som är ännu konstigare än mörk materia – som har repulsiv gravitation. Repulsiv gravitation betyder gravitation som stöter saker ifrån varandra i stället för att hålla dem samman, vilket verkligen är märkligt! Det kallas "mörk energi" och kan vara någonting så enkelt som kvanttomrummets energi eller något så underligt som påverkan av ytterligare rumtidsdimensioner! Det kan också hända att det inte alls finns någon mörk energi och att vi måste ersätta Einsteins allmänna relativitetsteori med någonting bättre.

Att den mörka energin är en så viktig gåta beror till stor del på att universums öde vilar i dess händer. Den mörka energin trampar på gaspedalen och universum ökar farten, vilket tycks innebära att expansionen kommer att pågå för evigt och att himlen åter blir mörk om cirka 100 miljarder år.

Eftersom vi inte förstår den mörka energin kan vi inte utesluta möjligheten att den någon gång i framtiden kommer att sätta foten på bromspedalen och kanske till och med få universum att kollapsa igen.

Detta är några av de mysterier som framtidens forskare – kanske du? – måste utforska och försöka förstå.

Michael

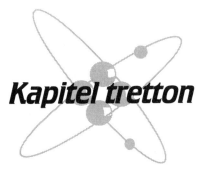

Kapitel tretton

Eric stod i det stora kontrollrummet vid LHC-acceleratorn. Övervakningskamerornas skärmar visade grottan som låg hundra meter nedanför och inhyste ATLAS, en av LHC-acceleratorns enorma detektorer. ATLAS var den största maskinen i sitt slag som någonsin hade byggts – en kolossal konstruktion som tornade som en jätte över de pyttesmå människorna som konstruerat den. Men det var nu förbjudet att gå in i de kilometerlånga tunnlarna med acceleratorn, och i de stora konstgjorda grottorna som inhyste ATLAS och de andra detektorerna. Dörrarna var låsta och ingen fick gå in i den delen av det underjordiska komplexet medan LHC-acceleratorn arbetade.

Enligt det officiella schemat så var det flera veckor kvar tills experimentet skulle inledas med att några politiker tryckte på en röd knapp. Det man nu höll på med var ett slags general-repetition, där vetenskapsmännen skulle reda ut huruvida de hade tänkt på allt och kunde lösa de sista tekniska problemen innan experimentet satte igång på allvar. Hittills hade allt gått så bra att testet inte gick att skilja från den riktiga versionen. Protonstrålarna cirklade redan i motsatta riktningar genom tunnlarna med en hastighet på över 11 000 varv i sekunden, vilket innebar att det uppstod sex hundra miljoner kollisioner per sekund. ATLAS läste av alla kollisionsdata.

LHC-ACCELERATORN

CERN

CERN – den europeiska organisationen för kärnforskning – är ett internationellt partikelfysiklaboratorium på gränsen mellan Frankrike och Schweiz.

CERN grundades 1954 och har i dag drivit kolliderare i mer än 50 år som del av forskningen om fundamentala partiklar.

Hypertextsystemet World Wide Web uppfanns år 1990 av vetenskapsmannen Tim Berners-Lee vid CERN, som ville skapa ett sätt för partikelfysiker att enkelt utväxla information med varandra. I dag använder mängder av människor webben varje dag!

1983 användes SPS-acceleratorn (SPS = Super Proton Synchrotron) för att kollidera protoner och antiprotoner (antimateriens version av protonen). Man upptäckte då W-partiklarna och Z-partiklarna, som är den svaga kärnkraftens bärare. SPS-acceleratorn är byggd inuti en cirkulär tunnel med en omkrets på sju kilometer. Nuförtiden används den för att mata LHC-acceleratorn med protoner.

1988, efter tre års grävning, fullbordades arbetet med en ny cirkelformad tunnel med 27 kilometers omkrets, 100 meter under marken. Denna inhyser den stora LEP-acceleratorn (LEP = Large Electron-Positron). LEP har använts för att kollidera elektroner och positroner (antimateriens version av elektronen).

1998 inleddes arbetet med att gräva ut grottorna för LHC-acceleratorns detektorer. LEP-acceleratorn stängdes av i november 2000 för att göra plats för den nya acceleratorn i samma tunnel.

LHC-acceleratorn sattes igång fullt för första gången i september 2008.

LHC-ACCELERATORN

Världens största partikelaccelerator.

Genom LHC-acceleratorns 27 kilometer långa, cirkelformiga tunnel går två stycken strålrör som vart och ett bär på en protonstråle. Dessa färdas i motsatta riktningar. Det är som en enorm elektromagnetisk racerbana!

Inuti rören har nästan all luft pumpats ut så att ett vakuum likt det i yttre rymden har uppstått. Protonerna kan därför färdas utan att stöta emot luftmolekyler.

LHC-acceleratorns kärna är den mest livlösa platsen på jorden!

Eftersom tunneln är böjd har man installerat över 1200 kraftiga magneter i den som styr protonernas bana så att de inte träffar rörens väggar. Magneterna är supraledande, vilket innebär att de kan alstra väldigt stora fält med minimal energiförlust. För att det ska fungera måste de kylas ned till −271 grader Celsius med flytande helium. Inte ens yttre rymden är så kall!

Sammanlagt finns det cirka 9300 magneter vid LHC-acceleratorn.

Vid full kraft fullbordar varje proton i tunneln 11 245 varv i sekunden, vilket innebär att den färdas i över 99,99 procent av ljusets hastighet. Upp till 600 miljoner frontalkrockar mellan protoner kommer att ske varje sekund.

LHC-acceleratorn är även gjord för att kollidera blyjoner (kärnorna i blyatomer).

Gridden

Eftersom cirka 1 MB data genereras per kollision så producerar LHC-detektorerna alldeles för mycket information för att den ska rymmas ens på den allra modernaste lagringsutrustningen. Med hjälp av datoralgoritmer väljs de mest intressanta kollisionshändelserna ut – resten, över 99 procent av alla data, kasseras.

Trots detta räknar man med att kollisionerna vid LHC-acceleratorn ska generera 15 miljoner gigabyte per år (en datamängd som skulle fylla 75 000 datorer med hårddiskar på 200 GB). Lagring och behandling av alla data innebär alltså ett stort problem, inte minst eftersom fysikerna som behöver informationen är spridda över hela världen.

Lagringen och behandlingen kommer att delas upp genom att man snabbt skickar ut informationen via internet till datorer i andra länder. Dessa datorer bildar tillsammans med datorerna vid CERN den världsomfattande *LHC-gridden*.

LHC-ACCELERATORN

Detektorerna

LHC-acceleratorn har fyra huvuddetektorer i underjordiska grottor på olika punkter runt tunnelns omkrets. På var och en av de fyra platserna runt cirkeln där detektorgrottorna ligger används speciella magneter för att få de två strålarna att kollidera.

ATLAS är den största partikeldetektorn som någonsin har byggts. Den är 46 meter lång, 25 meter hög, 25 meter bred och väger 7 000 ton. Den kommer att identifiera partiklarna som uppstår i högenergikollisionerna genom att följa deras färd genom detektorn och registrera deras energi.

I *CMS* (Compact Muon Solenoid) används en annan konstruktion för att identifiera liknande processer som i ATLAS (med två olika sorters detektorer blir det lättare att bekräfta alla upptäckter). Den är 21 meter lång, 15 meter bred och 15 meter hög, men väger med sina 14 000 ton betydligt mer än ATLAS.

ALICE (A Large Ion Collider Experiment) är speciellt utformad för att leta efter kvark-gluon-plasma som bildats av kolliderande blyjoner. Man tror att denna plasma existerade strax efter den stora smällen. ALICE är 26 meter lång, 16 meter hög, 16 meter bred och väger cirka 10 000 ton.

LHCb står för Large Hadron Collider-beauty. Ordet "beauty" i namnet syftar på b-kvarken eller "bottenkvarken" som ska studeras med den här detektorn. Målet är att klargöra skillnaden mellan materia och antimateria. Den är 21 meter lång, 10 meter hög, 13 meter bred och väger 5 600 ton.

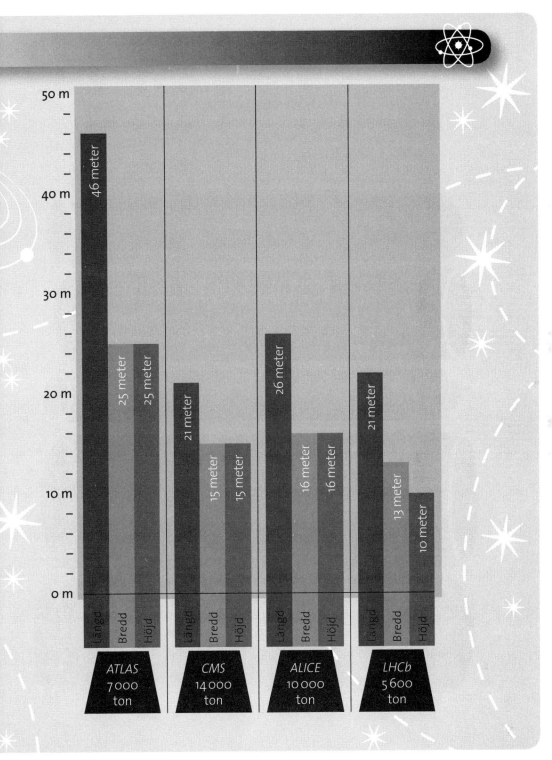

LHC-ACCELERATORN

Nya upptäckter?

Standardmodellen inom partikelfysiken beskriver de fundamentala krafterna, partiklarna som förmedlar dessa krafter samt tre generationer av materiepartiklar.

Men ...

Endast 4,6 procent av universum består av den sorts materia vi känner till. Vad består resten av (den mörka materien och den mörka energin)?

Varför har elementarpartiklar massa? Higgsbosonen – en partikel som förutsetts genom standardmodellen men aldrig har observerats – skulle kunna ge förklaringen till detta. Förhoppningsvis kommer man med LHC-acceleratorns hjälp att kunna observera Higgsbosonen för första gången.

Varför innehåller universum så mycket mer materia än antimateria?

Under en kort tid alldeles efter den stora smällen var kvarkar och gluoner så heta att de ännu inte kunde förenas och bilda protoner och neutroner – universum var fyllt av ett märkligt tillstånd av materia som kallas kvark-gluon-plasma. Denna plasma kommer att återskapas med LHC-acceleratorn och den ska upptäckas och studeras genom ALICE-experimentet. Forskarna hoppas att på detta sätt få reda på mer om den starka kärnkraften och universums utveckling.

I nya teorier har man gjort försök att föra in gravitationen (och rummet och tiden) i samma kvantmekanik som redan beskriver de andra krafterna och subatomära partiklarna. Enligt vissa av dessa idéer kan rumtiden ha fler än de fyra välkända dimensionerna. Genom kollisionerna i LHC-acceleratorn kan det bli möjligt för oss att se dessa "extra dimensioner" om de existerar!

Trots att Eric borde ha känt glädje över att det stora
experimentet fungerade problemfritt så kändes det här som en
ensam och märklig period i hans liv. Hans kolleger och vänner
var vänliga men distanserade. Fram till det att Sällskapet för
Vetenskaplig Forskning lyckades skingra det mörka molnet som
hängde över hans namn var Eric en kontroversiell figur som folk
artigt men bestämt undvek.

Vad som var ännu värre än att kollegerna fryste ut Eric var
insikten om hur nära han var att stängas av från sitt arbete.
Experimenten som förbereddes var de mest kraftfulla av alla och
skulle kunna ge svar på fysikens stora frågor. Men Eric visste att
han skulle bli tvungen att ge sig iväg omedelbart om det gick
dåligt under mötet och han uteslöts ur Sällskapet för Vetenskaplig
Forskning. Då kanske han inte skulle få vara här och uppleva
naturvetenskapens viktigaste ögonblick sedan den stora smällen.
Eric förstod att han kunde nekas åtkomst till alla data oavsett
experimentets resultat. Fram tills han fick upprättelse och åter
betraktades som en pålitlig och ansvarsfull kollega så förblev han
en ensam, suspekt individ i forskarsamfundets utkanter. Han
undrade om det här var vad han själv hade gjort mot doktor
Liemann en gång i tiden. Var det så här Liemann hade känt sig
när han plötsligt var avskydd och utstött av alla sina kolleger? Eric
försjönk i dystra tankar när han funderade på framtiden, som han
kanske skulle få tillbringa långt borta från arbetet han älskade
över allt annat.

Hans personsökare pep till. *Mötet hålls i kväll klockan 19.30
i det underjordiska startrummet*, blinkade det på skärmen. Eric

svalde ljudligt. Nu skulle hans öde till sist avgöras.

Eric hade väntat ett bra tag nu. Det hade tagit längre tid för Sällskapets medlemmar att komma hit än de först hade räknat med. Eric hade inte ens haft sällskap av Kosmos. Superdatorn hade konfiskerats i samma ögonblick han klivit ur det lilla jetplanet och ned på den schweiziska asfalten. Doktor Ling, den kinesiske vetenskapsmannen som hade observerat Eric och George på månen, hade väntat på honom på flygplatsen.

"Jag är verkligen ledsen, Eric", hade doktor Ling sagt. Det hade ösregnat och den besvärade vetenskapsmannen hade inte ens kunnat möta Erics blick. "Men du måste överlämna Kosmos omedelbart."

"Vad kommer att hända med honom?" frågade Eric.

"Han kommer att intervjuas av gridden", sa doktor Ling. "Man kommer att gå igenom alla Kosmos aktiviteter sedan du fick ansvaret för datorn."

Eric såg en bild av Freddy för sin inre syn. Han undrade vad gridden, det ofantliga och oöverskådliga datanätverket som analyserade data från LHC-acceleratorn, skulle anse om att Kosmos och Eric hade transporterat en gris från en bondgård till en fridfull landsbygdsidyll. Eller om Erics och Georges lilla tur till månen – för att inte tala om hans olika resor genom universum med inte bara ett utan två barn i släptåg.

Gridden var en av världens mest kraftfulla datorer, men den var inte som Kosmos. Kosmos hade en speciell förmåga som gridden helt saknade: han hade empati, vilket gav upphov till kreativitet och gjorde honom till världens mest intelligenta

Till höger:
Vindsnurregalaxen, som är
nästan dubbelt så stor som
vår hemgalax Vintergatan.

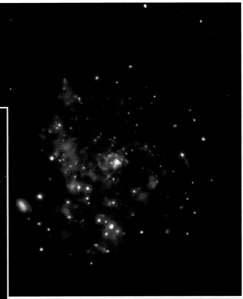

NASA/CXC/JHU/K. Kuntz et al.

X-ray: NASA/CXC/SAO/J.DePasquale; IR: NASA/JPL-Caltech; Optical: NASA/STScI

Till vänster: Ett galaxpar som
håller på att smälta samman –
Antenngalaxerna, som ligger
ungefär 62 miljoner ljusår
från jorden.

NASA/Hubble Heritage Team

Till vänster:
Sombrerogalaxen,
som ser ut precis
som en hatt! Man
misstänker att ett
svart hål finns i
galaxens mitt.

NASA/STScI

NASA/Swift/Stefan Immler (GSFC) and Erin Grand (UMCP)

Andromedagalaxen ligger 2,5 miljoner ljusår bort.
Bilden till vänster visar dess dubbla kärna.

Vår egen galax Vintergatan. Den här konstnärliga tolkningen visar stjärnhopen Arches långt inne i galaxen.

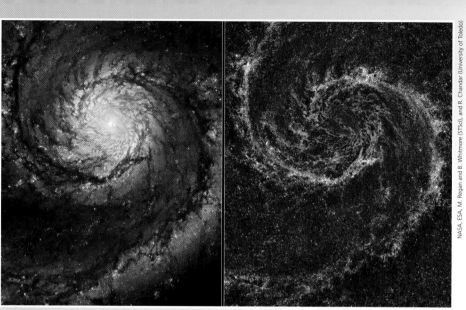

Två dramatiskt olika bilder av Malströmsgalaxen.

Storleksjämförelse mellan vår hemgalax Vintergatan (till vänster) och en ultrakompakt galax under universums tidiga skede (till höger). Båda innehåller lika många stjärnor!

Hur spiralgalaxer formas med tiden. Här visas fyra stavspiralgalaxer på olika avstånd från jorden.

NASA, ESA, and Z. Levay (STScI)

6,4 miljarder ljusår.

NASA, ESA, and Z. Levay (STScI)

5,3 miljarder ljusår.

NASA, ESA, and Z. Levay (STScI)

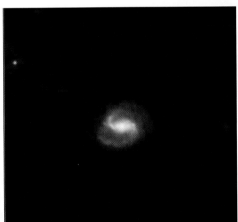

3,8 miljarder ljusår.

NASA, ESA, and Z. Levay (STScI)

2,1 miljarder ljusår.

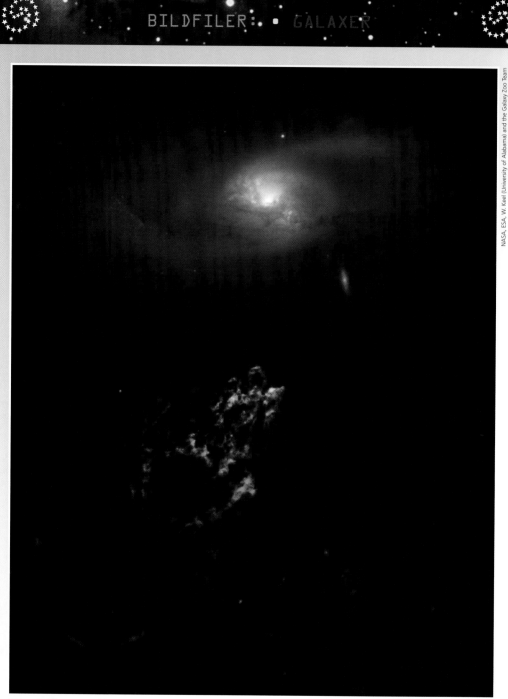

NASA, ESA, W. Keel (University of Alabama) and the Galaxy Zoo Team

Ett märkligt rymdfenomen: Hanny's Voorwerp, som är den enda synliga delen av en 300 ljusår lång gasremsa runt en spiralgalax.

dator. Gridden var oförmögen att ta sig runt sina egna stränga regler och utifrån intuition göra kopplingar mellan olika bitar av information. Eric visste att Kosmos skulle vinna varenda gång mot den stora jätten i en regelrätt tävling. Ändå greps Eric av vemod när hans lilla silverfärgade vän togs ifrån honom och han tänkte på den stundande utmaningen.

Eric kastade en blick på klockan där han stod och väntade i det stora kontrollrummet. Nu var det inte långt kvar till mötet där hans framtid skulle avgöras. Han kände sig fortfarande förbluffad när han tänkte på hur fort hans liv börjat gå utför. Var det verkligen så farligt, det där med fotot på månen? Var det verkligen värt att sammankalla hela Sällskapet för? Hade de inte gjort en hel asteroid av en väldigt liten rymdpartikel?

En vetenskapsman gick förbi honom med näsan i vädret och gjorde sitt bästa för att undvika Erics blick.

Eric stoppade honom. "Är professor Zuzubin här?" frågade han oroligt. Kanske kunde han få sin gamle läromästare att se

på olyckan med lite blidare ögon. Zuzubin kanske skulle be
Sällskapet att ta det lugnt med Eric om han lovade att aldrig göra
något liknande igen …?

"Zuzubin?" sa vetenskapsmannen. "Han har åkt."

"Åkt?" sa Eric förvånat. "Men jag trodde att det var han som
hade sammankallat det här mötet! Varför stannar han inte när
det är uppenbart att det är så viktigt för honom?" Den andre
vetenskapsmannen svarade inte, så Eric lämnades återigen åt sina
egna tankar.

Det var någonting som inte alls stämde. Mötet hade samman-
kallats alldeles för hastigt och på alldeles för tveksamma grunder.
Zuzubin, som tycktes ha varit initiativtagaren, hade plötsligt
försvunnit och Kosmos hade kopplats till gridden och höll på att
undersökas krets för krets. Så här borde det inte gå till, tänkte
Eric. Någonting var väldigt, väldigt fel. Men vad skulle han göra?

Han tittade på sin mobiltelefon. Skärmen var blank.
Griddens kraftiga störsignal påverkade även det stora kontroll-
rummet, vilket innebar att man bara kunde använda det interna
personsökarsystemet eller LHC-acceleratorns telefonnät där.
Han insåg chockat att han ändå inte hade någon att ringa.
Den ende som skulle tro på honom utan att tveka var George
och det var inte läge att blanda in ett barn i den här svåra,
obehagliga situationen.

Eric suckade och insåg att han lika gärna kunde stänga av
telefonen innan batteriet dog. Han strosade runt i kontroll-
rummet i några minuter till, men plötsligt kände han att han inte
stod ut längre. Det fanns bara en sak att göra. Hans kolleger var

fientliga och misstänksamma och Eric kände sig så isolerad och handlingsförlamad att han började bli uttråkad. Dessutom var han frustrerad över hur alla verkade strunta i hans åsikter. Eric bestämde sig för att ta en lång, lugnande promenad.

Kapitel fjorton

George flög ut genom silvertunneln och landade på magen med
sådan kraft att han kanade över golvet i sitt rum. Han låg och
flämtade tills han insåg, precis som han hade gjort på asteroiden,
att han inte var ensam. Den här gången väntade två par fötter
i gymnastikskor på honom. Han rullade runt så att han låg på
rygg. Genom visiret i hjälmen kunde han se två suddiga ansikten
som tittade ned på honom, men de förvreds
av det böjda glaset. Ett ansikte
kantades av ljust hår och hade
runda, oroliga blå ögon.
Det andra kröntes av en
svart, spretig plym och såg
fullständigt häpet ut.
   Den mindre
gestalten ruskade
honom. "George! Vad skönt att du har kommit tillbaka! Du
borde inte ha stuckit själv!"

Vad var det här för människor? George försökte känna igen
dem. Det var som om de hade träffats förut i någon konstig
dröm. Han mindes inte längre hur han kände dem. Ljuset
dansade framför ögonen på honom medan han kämpade med
att skingra det skiftande, mångfärgade molnet i huvudet så att
han kunde formulera tankar som betydde något. Men de bara
försvann i hans dimmiga hjärna innan han hann gripa tag i någon
av dem och förstå vad som hände.

Den långa gestalten grep tag i Georges händer, som fortfarande
täcktes av handskar, och drog upp honom på fötter. Men George
kunde inte stå upp. Det kändes som om hans ben hade smält och
hans muskler förvandlats till mos.

"Herregud", sa den större figuren och fångade upp George
när han sjönk ned på golvet. George tappade fokus och tunnelns
virvlande silverljus tycktes fortfarande snurra framför hans ögon.

"Var har du varit? Vad *var* det där, egentligen?"

George såg sig omtöcknat omkring och kunde ana att portalen
hade stängts igen och att Pocki var tyst och stilla. De två sakerna
var det enda som tycktes betyda någonting för hans förvirrade
hjärna. Den främmande personen lyfte upp honom under
armarna och släpade honom till sängen, där han lade ned George
som fortfarande hade på sig rymddräkten och syrgastuben. Ett
par händer lossade spännet på hjälmen, lyfte av den och torkade
Georges fuktiga ansikte med ena hörnet av täcket.

"Vatten!" ropade den mindre figuren. "Hämta lite vatten till
honom!"

Den andra personen rusade ut ur rummet och kom tillbaka

med en mugg i handen. "Här! Drick det här." Han hällde några droppar i munnen på George.

Den mindre gestalten började dra i Georges stövlar. "George! Det är jag – Annie. Hjälp mig, Vincent!" beordrade hon. "Vi måste få av honom rymddräkten."

De tog tag i var sin stövel, lossade spännena och drog. Båda två flög bakåt och ramlade så att det dunsade när de tunga stövlarna lossnade från Georges fötter. Men det hindrade dem inte för en sekund – de bara reste sig och rusade tillbaka till George, som såg sämre och sämre ut för varje sekund som gick. Hans ansikte var kritvitt, med undantag för kinderna, som fläckades av klarrosa

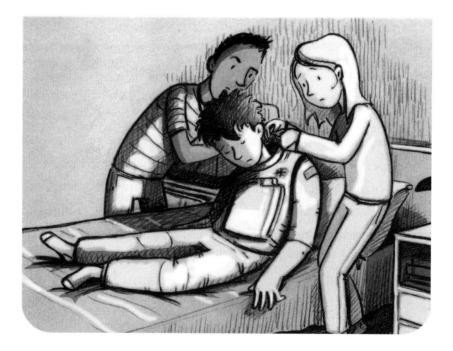

områden. Ögonen rullade fram och tillbaka i hålorna när han försökte fokusera blicken.

"Vad har hänt med honom?" frågade Vincent när Annie satte George upp och tog loss syrgastuben från hans rygg.

"Ta av honom dräkten", befallde hon.

Vincent knäppte upp dräkten och drog ut Georges armar. "Res dig", sa han och lyfte George så att han kunde få av resten av dräkten. Nu syntes T-shirten och jeansen som George hade haft under rymddräkten.

George dråsade ihop i Vincents armar, som om han inte hade ett enda ben i kroppen. Vincent lade honom omsorgsfullt på sängen och plockade upp en T-shirt från golvet så att han kunde torka Georges ansikte, som återigen var täckt av svettpärlor.

"Dräkten!" ropade Annie. "Ge mig dräkten!" Vincent slängde den tunga dräkten till henne och hon började omedelbart att leta igenom fickorna. "Var är den?" muttrade hon.

"Han ser inte ut att må så bra", varnade Vincent. "Ska jag ringa läkaren?"

Annie tittade upp från dräkten. "Och säga vad då?" frågade hon desperat. "*Vår kompis kom precis tillbaka från rymden och känner sig lite dålig*? Hur ska vi förklara att han reste genom en förbjuden portal som uppenbarligen inte alls var säker?" Hennes tonfall höjdes hysteriskt. Det rann saliv ur Georges mun och ned på hans haka.

"Hjälp mig!" sa Annie. "Hjälp mig att hitta nöddropparna – de finns i någon av fickorna."

Vincent klev ned från sängen och tog tag i andra halvan av

rymddräkten. Han klappade och klämde frenetiskt med handen
för att försöka känna något i fickorna. "Är det den här?" frågade
han. Han hade hittat en liten plastflaska i
en ärmficka. RYMDRÄDDNING! stod
det på den med glada röda bokstäver.
Vincent läste högt från etiketten: *"Behöver*
du rymdräddning? Har du haft en dålig
rymdupplevelse? Lider du av illamående?
Synrubbningar? Muskler som förvandlats till
lim? Håravfall?" Han kastade en orolig blick
på George, som tycktes ha kvar allt hår på
huvudet.

　"Ge mig den!" skrek Annie.

　"Har ni tagit sådant här förut?" frågade Vincent misstänksamt
där han stod med flaskan i handen.

　"Det har aldrig behövts", medgav hon. "Men pappa sa alltid
att vi skulle ta det om vi kände oss åksjuka efter en rymdresa."

　Vincent gav henne flaskan och såg att George hade börjat
skaka våldsamt. Annie förde den lilla flaskan till Georges läppar
och pressade försiktigt ut några droppar i hans mun. En del av
den bärnstensgula vätskan sipprade ut mellan hans slappa läppar,
som började bli blå.

　"Snälla, snälla planeter och stjärnor", mumlade Annie. "Se till
att det här fungerar för George!" Hon tryckte omsorgsfullt ut
några droppar till i hans mun.

　"Har du kollat hur stor dos han ska ha?" frågade Vincent.

　"Det är ingen fara", sa hon. "Flaskan innehåller bara en dos, så det går inte att ta för mycket. Det har pappa sagt."

Georges läppar började bli rosa igen och ansiktet återgick till sin vanliga, friska nyans. Hans andhämtning lugnade sig och lät mer som ett stillsamt väsande än ett häftigt kippande. Ögonlocken darrade lite när nöddropparna rann genom kroppen på honom och rättade till det som hade gått snett under den kosmiska resan.

"Å, George!" sa Annie och brast i gråt. Vincent kom fram och gav henne en kram precis samtidigt som George slog upp ögonen igen.

"Vad i ...", mumlade George.

Annie och Vincent släppte varandra och rusade fram och ställde sig på var sin sida om sängen.

"George! Du lever!" Annie gav honom en blöt puss på kinden.

Georges huvud bultade. "Annie ...?" sa han med skälvande röst. "Är det du?"

"Visst är det jag!" sa hon lyckligt. "Och Vincent", tillade hon. "Vi har räddat dig! Du kom ut genom en konstig tunnel med rymddräkten på och sedan fick du någon sorts anfall."

"Någon sorts anfall?" upprepade George, som kände

sig allt starkare för varje sekund. Han satte sig upp och såg sig omkring i sovrummet.

”Du dreglade”, sa Vincent hjälpsamt. ”Och ögonen såg helt galna ut.”

George lade sig ned på sängen igen och slöt ögonen. Det här var superkonstigt. Han försökte minnas vad som hade hänt, men det enda han såg framför sig var hur Annie hade kramat Vincent när den färgsprakande yrseln lättat.

”George”, sa hon ivrigt. ”Var har du varit? Vad gjorde du i rymden utan oss?”

”*Oss?*”

”Utan mig och Vincent”, sa Annie. Hon lät lite otålig nu när George höll på att bli bra igen. ”Vi skulle ha följt med dig om du bara hade väntat. Vi kom hit så snabbt vi kunde efter telefonsamtalet.”

”Hur kom ni in i huset?” Georges hjärna hade inte återhämtat sig så mycket att han orkade tänka på rymden – han kunde bara hantera sådant som hände i hans omedelbara närhet.

Ett skrik nedifrån besvarade frågan. ”Din mamma och tvillingarna”, sa Annie. ”Daisy släppte in oss.”

”Känner hon till den?” frågade George och satte sig panikslaget upp. ”Känner hon till rymdportalen?”

”Nej, hon har fullt upp med bebisarna – de för ett sådant oväsen att hon knappast kan ha hört något”, sa Annie.

”Drick det här”, sa Vincent och räckte fram en mugg med vatten till George.

George tog en stor klunk och var nära att spotta ut den. ”Vad är det här?" frågade han och grimaserade.

"Förlåt", sa Vincent. "Det är tandborstmuggen. Det var den första mugg jag såg."

"Kom igen nu", sa Annie. "Kom igen, George. *Tänk*! Var har du varit? Varför reste du dit?"

George kunde tänka klart igen. Alltihop forsade tillbaka till honom med fullständig klarhet och han insåg att han hade väldigt, väldigt bråttom.

"Milda supersymmetriska strängar …", sa han långsamt. Det var ett av datanörden Emmetts favorituttryck. Han såg på Annie och Vincent och funderade på vad han skulle säga. "Kan jag lita på dig, Vincent?"

"Jag är rädd att du måste göra det", sa Annie och lade armen om George. "Med tanke på det han precis har sett. Och han hjälpte till att rädda livet på dig. Berätta nu, George – vad hände där ute?"

George funderade i några sekunder. Det här handlade om mer än hans känslor. Han var inte jätteförtjust i Vincent, men nu var karatekillen ändå här och visste allt.

George tog ett djupt andetag. "Jag har träffat Liemann", sa han.

"Han var alltså där", sa Annie. "Och väntade på dig."

"Det är den där läskige snubben, va?" Vincent och tog en klunk ur Georges tandborstmugg.

"Öh – ja", sa George. "Han förde mig till en asteroid i Andromeda."

"Andromeda!" gnydde Annie. "Wow! Så långt bort har jag

aldrig varit." Hon lät nästan avundsjuk.

"Det är inget jag rekommenderar", sa George med en grimas. "Jag tror inte att Pockis portal skulle bli godkänd i några säkerhetskontroller."

"Du såg rätt sliten ut, mannen", sa Vincent med viss beundran. "Du är en riktig fighter."

"Öhm, tack", sa George.

I samma ögonblick knackade hans mamma på dörren och

stack in huvudet. "Jag tog upp lite broccoli- och spenatmuffins!" sa hon och räckte in ett fat.

"Tack, fru G", sa Annie och tog hastigt emot fatet. Hon stod kvar och blockerade dörröppningen tills Daisy hade gått tillbaka ned för trappan för att någon av tvillingarna gett upp ett ilsket tjut. "De ser jättegoda ut!" ropade Annie efter henne.

Vincent, som alltid var hungrig, kastade sig över fatet med ett lyckligt litet utrop. När han hade tagit en tugga förvandlades hans ansiktsuttryck från förtjusning till förvåning.

"Jösses!" utbrast han medan han tuggade.

Annie sparkade till honom innan han kunde fälla någon oförskämd kommentar om Daisys matlagning. Det var okej för henne och George att skoja om den, men hon tyckte inte att Vincent hade rätt att skämta om Georges mamma.

"Jag menar bara att det här smakar som grym energimat", sa Vincent lugnande. "Sådan som vi äter före karatemästerskapen. Det var bara det jag menade. Det är inte konstigt att George är en man av stål om det är sådant här han lever på!"

"Vad är klockan?" frågade George.

Vincent kastade en blick på sitt armbandsur. "Fem nollsex", svarade han.

"Fem! Då har vi inte lång tid på oss! Vänta lite – vad är klockan i Schweiz?"

"Sex nollsex", sa Vincent.

"Okej, då måste vi jobba snabbt", sa George och pratade så fort han kunde. "Annie, du sa att Sällskapets möte äger rum i kväll klockan halv åtta. Liemann berättade att TOARING har en bomb – en kvantmekanisk bomb – och jag slår vad om att de tänker spränga den under mötet så att acceleratorn och alla i den flyger i bitar och flera hundra års forskning omintetgörs."

"En kvantmekanisk bomb?" sa Annie och såg nästan lika illamående ut som George hade gjort några minuter tidigare. "Vad är *det*?"

"Jag vet vad det *är* för något", medgav George. "Men jag vet inte riktigt hur man stänger av den. Det är bäst att vi tar med den här." Han tog upp lappen från Pocki med siffrorna. "Jag är inte helt säker, men detta skulle kunna vara koden man behöver för att desarmera bomben. Åtminstone en av dem."

"Varför tror du att Liemann talar sanning?" ville Annie veta.

"Det vet jag inte, men jag tror att han står på vår sida den här gången. Och Erics. Liemann vill inte att LHC-acceleratorn sprängs i bitar av knäppgökarna vi såg i den där källaren när vi letade efter ett ställe åt Freddy."

"Men hur kan du lita på den där Liemann?" sköt Vincent in. "Har inte han lurat er flera gånger om?"

Annie hade dragit fram sin mobil ur fickan. Hon försökte ringa sin pappa, men lyckades inte komma fram. Hon kunde inte ens lämna ett meddelande.

"Jag vet inte om vi kan lita på honom", sa George. "Vi tar en risk. Men om vi inte gör någonting så kanske acceleratorn exploderar under Sällskapets möte i kväll."

"Hur ska vi bära oss åt för att komma dit i tid?" frågade Annie. "Vi skulle behöva resa genom en portal och Kosmos är inte här!"

"Det finns en annan portal", sa George som till sist hade upptäckt den felande länken han hade letat efter sedan besöket vid den matematiska institutionen. "Och jag vet var den är!"

"Var då?" frågade Annie förvirrat. "Jag trodde att Kosmos var den enda superdatorn i världen – förutom Pocki, och han är inte säker."

"Du har rätt", instämde George. "Vi kan inte använda Pocki igen – vi vet inte hur man gör och hans portaler är ändå usla. Men vi vet hur man använder *nya* Kosmos, vilket betyder att vi även kan använda *gamla* Kosmos."

"*Gamla* Kosmos …?"

"Kommer du ihåg din pappas föreläsning?" Georges hjärna arbetade med ljusets hastighet. "Den där risige gamle professor Zuzubin var där. Det var han som sa åt Eric att resa till Schweiz och det var han som hade kallat Sällskapets medlemmar till krismötet."

"Jaha?" sa Annie. "Vad försöker du säga?"

"När vi lämnade matteinstitutionen så följde Zuzubin inte med", fortsatte George. "I stället för att gå ut så gick han ned för trappan till källaren!"

"Och …?"

"Din pappa berättade en gång att gamla Kosmos – den första superdatorn – bodde i matematikinstitutionens källare när han själv var student i Foxbridge. Och efter din pappas föreläsning såg jag hur Zuzubin gick ned för trappan till källaren när vi gick ut genom ytterdörrarna. *Dessutom* så lade jag märke till att han hade på sig ett par gula glasögon – precis sådana som Eric hittade när han ramlade ned i det svarta hålet. Vilket innebär att någon har rest runt i universum och tappat saker."

"Och för att kunna göra det så måste de ha en superdator", sa Annie som började förstå vart George ville komma. "Du tror alltså att gamla Kosmos finns i källaren under institutionen för matematik och att Zuzubin har använt honom …?"

"Men det var typ fem miljoner år sedan som Annies pappa var student", påpekade Vincent. "Den datorn måste ha tagits ur bruk vid det här laget."

"Det är precis det de vill att vi tror", sa George. "Vi ska tro att gamla Kosmos inte fungerar. Men om han gör det och han kan skicka Zuzubin till svarta hål så kan han också skicka oss till acceleratorn så att vi hinner desarmera den kvantmekaniska bomben."

"Men varför har Zuzubin hållit det här hemligt?" frågade Annie.

"Jag vet inte …" Det hördes på George att han hade onda aningar. "Men jag misstänker att vi får reda på det. Vi måste ta oss till institutionen för matematik. Så fort vi kan. Zuzubin kommer att vara vid LHC-acceleratorn inför mötet, så vi borde kunna prova gamla Kosmos."

Han och Annie tog två trappsteg i
taget när de rusade ned för trappan.
De störtade ut genom dörren och
sprang till sina cyklar, med Vincent
hack i häl. "Det finns en sak jag
inte riktigt fattar ...", sa Annies
vän när han hoppade upp på sin
skateboard. "Varför just matte? Vad
har matematik med saken att göra?
Det är bara en massa siffror på en
tavla och om man lägger ihop dem
får man ett annat tal. Vad har det
med universum att göra? Vad har
man för nytta av matte?"

Varför matematik är till så stor hjälp när man vill förstå universum

Det är uppenbart att vissa saker i vår vardag är enkla och andra komplicerade. Vi vet att solen kommer att gå upp varje dag vid precis rätt tid, medan vädret skiftar på irriterande och till synes slumpmässiga sätt. (Om du inte bor i Arizona, förstås, som jag gör – här är det nästan alltid varmt och soligt.) Du kan ställa väckarklockan på kvällen för att försäkra dig om att du kommer upp i tid, men om du i förväg väljer ut vilka kläder du ska ha på dig kan det bli väldigt fel.

Sådant som är enkelt, återkommande och stabilt kan beskrivas med *siffror*, som antalet timmar på ett dygn eller antalet dagar på ett år. Vi kan också använda siffror för att beskriva mer komplicerade saker som vädret – dagens högsta temperatur, till exempel – men i sådana fall är det ofta svårt att urskilja något mönster i dem.

Våra förfäder lyckades urskilja många mönster i naturen: inte bara dag och natt, men också årstiderna och månens, stjärnornas och planeternas rörelser på himlavalvet liksom tidvattnets rytm. Ibland använde de siffror för att beskriva mönstren, ibland sånger eller lyrik. Många av antikens folk lade ned stor möda på att beskriva himlakropparnas rörelser med siffror och mönster. De var särskilt intresserade av att förutsäga förmörkelser – skrämmande men spännande händelser då månen skymmer solens ljus och man kan se stjärnorna mitt på dagen. För att avgöra när en förmörkelse skulle inträffa behövdes det mängder av tråkiga beräkningar och det var inte alltid det blev rätt. Men när det stämde var folk imponerade.

Förr i tiden visste ingen varför tal och enkla mönster återkommer så ofta i naturen. Men för ungefär 400 år sedan började vissa att studera mönstren i större detalj. I synnerhet i Europa fanns det vackra och synnerligen välgjorda instrument som användes för att observera och mäta saker och ting med exakthet. Människor använde klockor, solur och alla möjliga slags metallprylar för att mäta avstånd, vinklar och tid. Efter ett tag började de även tillverka mindre teleskop. De här nyfikna människorna kallade sig "naturfilosofer" – och var vad vi i dag skulle kalla naturvetenskapsmän.

En av sakerna som naturfilosoferna grubblade över var *rörelse*. I början tycktes det finnas två typer av rörelse: stjärnor och planeter som rör sig på himlen och föremål som rör sig på jorden. När man kastar en boll så färdas den som alla vet i en båge. Det behövs inte så många försök för att man ska inse att bågen alltid blir likadan om bollen kastas med samma kraft och från samma vinkel.

Våra förfäder förstod naturligtvis mycket väl att föremål som rör sig följer enkla, förutsägbara banor. Deras liv hängde trots allt på den kunskapen. Jägarna behövde vara säkra på att en sten som lämnade slungan eller en pil som flög från bågen betedde sig likadant i dag som den gjorde i går. Australiens urbefolkning, de så kallade aboriginerna, var så smarta att de kunde tillverka ett platt trästycke som kallas bumerang. När man kastar den följer den en speciell bana som får den att svänga tillbaka till den som kastade den.

På femtonhundratalet omfattade matematiken inte längre bara enkel aritmetik, utan även algebra och andra mer avancerade metoder. Naturfilosoferna kunde redogöra för många av mönstren de såg i naturen med hjälp av ekvationer. Framför allt så kunde de använda ekvationer för att beskriva de banor som exempelvis pilar och bollar färdas längs. En enkel ekvation beskriver till exempel en cirkel, en annan en något tillplattad cirkel som kallas en ellips och ytterligare en annan hur ett rep som hänger mellan två pålar är böjt. Med den här mer avancerade matematiken kunde ett stort antal mönster och former beskrivas med inte bara ord, utan också med symboler och ekvationer som skrevs ned på papper och trycktes så att andra vetenskapsmän och matematiker kan studera dem.

Trots att det här var väldigt användbart så handlade det förstås fortfarande bara om beskrivningar av naturens mönster, inte förklaringar. Det stora genombrottet kom med Galileo Galilei i Italien under det tidiga 1600-talet. Alla vet ju att ett föremål faller mot marken fortare och fortare när man släpper det från en höjd. Galileo ville ha exakta svar: hur mycket fortare rör det sig efter en sekund, två sekunder, tre sekunder ...? Fanns det ett mönster? Han kom fram till svaren genom att experimentera – han släppte saker och tog tid. Han rullade bollar nedför sluttningar så att det skulle gå långsammare och bli lite enklare. Sedan satte han sig ned med alla mätningarna och använde aritmetik och algebra tills han upptäckte en enskild formel som korrekt beskriver hur alla fallande kroppar accelererar, det vill säga rör sig fortare och fortare, när de faller.

Galileos formel är ganska enkel: om föremålet släpps från vila så ökar dess hastighet i proportion till tiden det har fallit. Det innebär att föremålet efter att ha fallit i två sekunder faller exakt dubbelt så fort som efter en sekund. Men det är inte allt. Om föremålet kastas från en höjd och i vinkel i stället för att bara släppas så kommer det fortfarande att falla på samma sätt, men det kommer dessutom att röra sig vågrätt och Galileos formel säger att banan som föremålet kommer att följa är en *parabel* – en av kurvorna som matematikerna redan kände till från sina geometristudier.

Det avgörande steget kom när Isaac Newton i England kom fram till hur föremål, till exempel bollar, ändrar sin rörelse (det vill säga accelererar eller saktar ned) när de knuffas eller dras av krafter. Han skrev ned en väldigt enkel ekvation för att beskriva det.

I fallet med Galileos fallande föremål så är kraften i fråga naturligtvis *gravitationen*. Vi känner gravitationens kraft hela tiden. Newton lade fram en idé om att jorden drar allting nedåt, mot sitt centrum, med en kraft som står i proportion till mängden materia föremålet innehåller (vilket man kallar dess massa). Newtons ekvation binder ihop kraft och acceleration och förklarar alltså Galileos formel för fallande kroppar.

Men detta var bara början. Newton visade också att inte bara jorden, utan alla föremål i universum – inklusive solen, månen, planeterna, stjärnorna och till och med vi människor – drar till sig andra föremål med en gravitationskraft som på ett exakt sätt blir svagare med avståndet. Den är *omvänt proportionell mot kvadraten på avståndet*. Detta är ett elegant sätt att säga att kraften är en *fjärdedel* så stark när avståndet från jordens (eller solens eller månens) centrum *dubblas*. Den är en *niondel* så stark när avståndet *tredubblas*. Och så vidare.

Med hjälp av den här formeln plus ekvationen för hur kraft och acceleration hänger ihop kunde Newton använda ganska häftig matematik (en del av den tänkte han ut själv) för att lista ut hur planeter och kometer rör sig runt solen när solens gravitation drar i dem. Han räknade också ut hur månen kretsar runt jorden. Och alla siffrorna stämde! Dessutom kunde han korrekt beskriva omloppsbanornas *form* utifrån sina beräkningar. Astronomerna hade till exempel genom mätningar kommit fram till att planeternas omloppsbanor är ellipsformade. Den klipske Newton kunde med sina

beräkningar visa att de *måste* vara det! Det är inte så konstigt att alla kallade honom hjälte och geni. Regeringen var så nöjd att de gav honom ansvaret för hela Englands myntprägling.

Det finns dock en djupare anledning till att Newtons arbete om rörelse och gravitation var så viktigt. Han menade att hans formel för gravitation och hans ekvation för kraft och acceleration var *naturlagar*. De bör alltså alltid vara likadana överallt i universum och kan aldrig förändras – ungefär som Gud, som Newton trodde på. Före Newton ansåg många att föremål i rörelse på jorden – som bollar, båtar och fåglar – inte kunde ha något som helst samband med himlakroppar som månen och planeterna och deras rörelser. Nu visste vi att de alla följde samma lagar. Andra vetenskapsmän hade *beskrivit* rörelse, men Newton *förklarade* dess matematiska lagar.

Ur praktisk synvinkel var detta ett stort steg framåt, för nu kunde alla sätta sig ned och räkna ut hur ett föremål av en viss typ skulle röra sig utan att ens ha sett det och utan att lämna rummet. Man kan till exempel räkna ut var en kanonkula kommer att landa om den skjuts från en viss vinkel och med en viss hastighet. Man kan beräkna hur fort den skulle behöva flyga för att lämna jorden och aldrig komma tillbaka. Med hjälp av Newtons enkla ekvationer kan ingenjörer bedöma exakt hur en raket måste riktas om en rymdfarkost ska skickas till månen eller Mars – innan de ens har fått pengarna för att bygga raketen.

Allt det här gjorde fysiken – studiet av universums grundläggande lagar – till en *prediktiv* vetenskap som kan användas för att förutsäga saker. Fysiker kunde nu leka med sina ekvationer och komma fram till saker som ingen tidigare kände till, som okända planeters existens. Uranus och Neptunus upptäcktes efter att astronomer använde Newtons lagar för att räkna ut var någonstans på himlen de måste finnas. Numera använder vi samma lagar för att förutsäga var det finns planeter som kretsar runt andra stjärnor.

Fysikerna började mycket snart att tillämpa samma idéer på andra krafter, som elektriciteten och magnetismen, och de visade sig mycket riktigt också följa enkla matematiska lagar. Därefter studerade man atomerna och deras kärnor och fann att även dessa kunde förklaras i detalj med matematiska formler. Så det är inte konstigt att fysikböckerna nuförtiden är fulla av ekvationer.

Vissa fysiker undrar om det kommer att fortsätta på det här viset för alltid eller om det skulle vara möjligt att slå ihop alla lagar och ekvationer till någon sorts superlag som innehåller alla de andra. Det finns många smarta personer som har kikat på ekvationerna och försökt hitta samband och man har funnit några som visat sig stämma.

Ett berömt exempel är James Clerk Maxwell, en skotsk fysiker på 1800-talet, som upptäckte att man kunde förena elektricitetens och magnetismens lagar. När han hade gjort det så löste han ekvationerna och fann att den kombinerade "elektromagnetiska" kraften kunde alstra elektromagnetiska vågor. När han hade räknat ut vågornas hastighet med sina ekvationer så fann han att den var likadan som ljusets hastighet. Bingo! Ljus måste vara en elektromagnetisk våg, sa han.

Sökandet efter en superlag som kombinerar *samtliga* krafter fortsätter. Det krävs nog en riktigt klyftig ung person för att knyta ihop alla trådarna.

När jag var skolpojke gillade jag en söt flicka som hette Lindsay. En dag höll jag på med en fysikläxa. Jag skulle räkna ut (alltså förutsäga) ur vilken vinkel man måste kasta en boll för att den ska komma så långt upp som möjligt på en kulle med viss lutning. Lindsay (som studerade konst) satt mitt emot mig i skolbiblioteket, vilket var trevligt men gjorde mig lite nervös. Hon frågade vad jag gjorde och när jag beskrev problemet svarade hon förbluffat: "Men hur kan du få reda på vad som ska hända med en boll genom att skriva saker på ett papper?" Jag tyckte att det var en larvig fråga. Det här var trots allt min läxa! Men Lindsay hade faktiskt berört någonting väldigt viktigt. Varför kan vi använda enkla matematiska lagar för att beskriva och till och med förutsäga sådant som händer i världen runt omkring oss? Var kommer lagarna från? Det vill säga, hur kommer det sig att naturen faktiskt har lagar? Och även om det är så att naturen av någon anledning måste ha lagar, varför är de så enkla (som lagen om att gravitationen är omvänt proportionell mot kvadraten på avståndet)? Man kan lätt föreställa sig ett universum där matematikens lagar är så hårfina och komplicerade att till och med mänsklighetens klyftigaste matematiker skulle stå handfallna.

Ingen vet varför universum kan förklaras med enkel matematik eller varför den mänskliga hjärnan är kraftfull nog att förstå den. Kanske har vi bara haft tur? Vissa tror att det finns en matematisk Gud som skapade universum på det sättet. Men vetenskapsmän är inte så förtjusta i gudar. Kan det vara så att liv endast kan uppstå om universum har enkla matematiska lagar? Att naturen helt enkelt *måste* vara matematisk och att vi annars inte skulle kunna vara här och diskutera saken? Kanske finns det många olika universum som vart och ett lyder under lagar som skiljer sig från våra. Vissa kanske inte ens har några egentliga lagar alls. Dessa andra universum kanske saknar vetenskapsmän och matematiker. Eller kanske inte.

Ärligt talat så är alltihop ett mysterium och de flesta vetenskapsmän tycker inte att det hör till deras jobb att bekymra sig om det. De accepterar helt enkelt naturens matematiska lagar som fakta och fortsätter med sina beräkningar.

Jag hör inte till dem. Jag ligger vaken om nätterna medan allt det här snurrar i mitt huvud. Jag skulle vilja ha ett svar. Men oavsett om det finns en anledning till att universum är så matematiskt enkelt så är det uppenbart att fysik och matematik är tätt sammanflätade och att vi alltid kommer att behöva folk som kan göra experiment och folk som kan räkna. Och att det är bäst att de pratar med varandra även i fortsättningen!

Paul

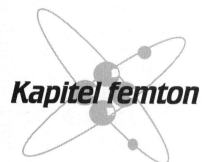

Kapitel femton

George och Annie trampade frenetiskt förbi Foxbridges märkligt
formade visdomscitadell och bredvid dem seglade
Vincent graciöst fram på sin skateboard.

Staden var full av gamla, vackra byggnader där forskare under
århundradenas lopp hade utvecklat storartade teorier för att
förklara universum och alla dess underverk för en värld som inte
alltid varit så intresserad.

Vissa universitetsbyggnader såg ut som borgar – och det fanns
goda skäl till det. Under historien hade vetenskapsmännen flera
gånger blivit tvungna att barrikadera dörrarna för att stänga ute
arga folkmassor som kokade av ilska över nya idéer forskarna
lagt fram. Gravitationen var
ett exempel. Eller när man
upptäckte att jorden kretsar
runt solen snarare än
solen runt jorden.

Evolutionen. Stora smällen. Eller den dubbla DNA-spiralen och möjligheten att det fanns liv i andra universum. Byggnaderna hade kraftiga väggar med små fönster som skyddade mot den verkliga och ofta ovänliga världen utanför.

De tre barnen susade in på gårdsplanen utanför matematik-institutionen, slängde cyklarna mot de svarta staketen och rusade upp för trappan till huvudingången. I dag stod glasdörrarna bara och slog lite i den lätta vinden och ingen hindrade dem när de rusade in i korridoren. Det enda som mötte dem var den välbekanta lukten av kritdamm och gamla strumpor. Det skramlade svagt när en tevagn lastades av någonstans långt borta.

"Inte hissen!" väste Annie när Vincent gick fram för att trycka på knappen. "Den väsnas för mycket! Vi tar trappan."

Vincent parkerade sin älskade skateboard under anslagstavlan i foajén. Där hängde anslag om spännande föredrag med rubriker som DUBBELPERIODISKA MONOPOLER: ETT 3D-INTEGRERBART SYSTEM och VÅRT TIDIGA UNIVERSUM: ÖVERGÅNGSFASER! De smög försiktigt ned för trappan till källaren: först George, sedan Annie och sist Vincent.

När de kom till slutet av trappan upptäckte de att det svaga ljuset i källaren redan var tänt. De var i ett stort rum och ljuset räckte precis för att de skulle kunna se till andra sidan. Rummet visade sig vara fullt av bråte – gammal kontorsutrustning, kasserade datorer, trasiga stolar, knäckta skrivbord och skrivarpapper i stora lass. De letade sig varsamt fram genom den saliga röran mot ljudet av en dator som surrade någonstans bakom berget av skräp. De förstod snart att de inte var ensamma i källaren. En väldigt tydlig och högst mänsklig röst hördes genom surret.

"Nej!" tjöt den frustrerat. "Varför kan du inte bara låta mig göra det jag vill, din eländiga dator?"

Annie och George smög först och Vincent, som var längre, hukade sig bakom dem. Snart kunde de genom en öppning i bråten se en gammal man i tweedkostym som försökte använda en jättelik dator. Den sträckte sig över en hel vägg i källarvalvet och var så gammal att den bestod av fack, något som liknade skåpsdörrar och höga torn av maskindelar som var staplade på varandra. Den gamle mannen verkade titta på en film som visades på en skärm i mitten. Det var endast överdelen av skärmen som visade bilden – på den nedre halvan syntes bara grön text som långsamt rullade fram mot en svart bakgrund.

"Det är professor Zuzubin", viskade George i Annies öra. "Han är här! Han borde vara vid acceleratorn – han sa att alla medlemmar i Sällskapet för Vetenskaplig Forskning i Mänsklighetens Tjänst skulle närvara, så han borde också vara där!"

"Vad gör han?" viskade Annie tillbaka i Georges öra. De tittade storögt medan Zuzubin spolade tillbaka filmen och texten rullade från höger till vänster på skärmens nederdel. Han tryckte på PLAY och filmen startade på nytt. På skärmens överdel syntes en man som såg ut som en mycket yngre version av Zuzubin själv. Han stod framför en överfull hörsal, bredvid en uråldrig overheadprojektor.

"Det är hörsalen där din pappa höll sin föreläsning!" sa George

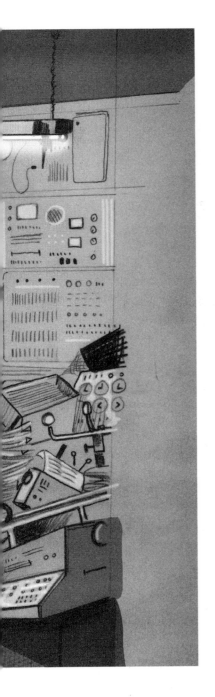

till Annie. "Det där är Zuzubin som föreläser här i Foxbridge!"

"Han hade samma jobb som pappa har nu", mumlade hon. "Han var matteprofessor här."

"Han kanske vill ha tillbaka sitt gamla jobb", muttrade George bistert. Han gillade inte vad han såg. "Titta där! Bland åhörarna! Det är din pappa!"

På filmen hade en ung man med tjockt, svart hår, sneda glasögon och ett brett leende precis rest sig upp.

"Det *är* faktiskt pappa!" sa Annie och fick tårar i ögonen. "Herregud! Tänk att han var så ung en gång i tiden! Vad gör han?"

Gamla Kosmos besvarade frågan åt dem. "Professor Zuzubin", sa han med mekanisk röst. Han sa orden som den unge Eric på skärmen formade med läpparna. "Jag har visat att din teori innehåller ett fel!" På typiskt Eric-manér så verkade han nästan vänta sig att Zuzubin skulle bli överlycklig av nyheten.

Zuzubin fortsatte att le på filmen

men det såg ut som om leendet hade klistrats fast i hans ansikte med superlim.

Eric fortsatte med gamla Kosmos röst: "Jag har visat att den modell av universum som du föreslår strider mot det svaga energivillkoret."

Zuzubins näsborrar darrade på skärmen och han såg arg ut.

"Bellis", sa gamla Kosmos medan orden rullade fram på

En singularitet är ett ställe där matematiken som fysiker använder slår riktigt, riktigt fel! När man närmar sig centrum i ett svart hål – som är en typ av singularitet – växer till exempel rumtidens krökning oändligt och vid den absoluta mittpunkten fungerar inte matematikens vanliga regler (de säger att man ska dela med noll, vilket ju som alla vet inte går!)

Vid fysikaliska beräkningar händer det att man gör ett antagande som visar sig vara fel på en specifik punkt och därmed upptäcks en singularitet. När man har förstått detta kan beräkningen anpassas så att felet rättas till, matematiken fungerar korrekt och singulariteten försvinner.

De mest intressanta singulariteterna är svårare att bli av med och det kan krävas nya teorier för att förklara dem. Med den allmänna relativitetsteorins matematik uppstår singulariteter runt svarta hål och den stora smällen. Kanske krävs det en teori med annan matematik för att vi ska förstå vad som verkligen händer och få vettiga resultat på sådana ställen i universum.

Det bedrivs intensiv forskning på det här området. En del forskare hoppas att man genom en teori om allt ska bli kvitt singulariteterna.

Den stora smällen

rumtidens krökning blir
oändlig

materiens densitet blir
oändlig

temperaturen blir
oändlig

storleken på rummet med allt vi ser omkring oss i universum blir noll

och alla vägar som leder tillbaka i tiden slutar.

Den här singulariteten kallas även den *första singulariteten* eftersom den inträffar i tidens begynnelse.

skärmen. "Dina teorier om den här 'stora smällen' är intressanta, men omöjliga att bevisa."

"Det tror jag inte!" sa den unge Eric. "Bakgrundsstrålningen som man nyligen har upptäckt ger direkt stöd åt en modell baserad på den stora smällen. Dessutom så är det min bestämda uppfattning att vi en dag kommer att kunna genomföra ett stort experiment som bekräftar att de matematiska teorierna jag har utvecklat tillsammans med mina kolleger här i Foxbridge överensstämmer med verkligheten." Han nickade ödmjukt mot människorna som satt runt honom.

Den verklige Zuzubin tryckte på PAUS och bilden stelnade till. Han började frenetiskt att trycka på kommandotangenterna på Kosmos tangentbord. En liten målarpensel dök upp på skärmen. Zuzubin svepte den över skärmen med en datormus han hade anslutit till gamla Kosmos. Den lilla penseln for verkningslöst över bilden och ingenting förändrades.

"Bah!" utbrast Zuzubin. "Varför fungerar inte detta, då?" muttrade han för sig själv. "Då får jag väl prova med någonting annat ..."

Han raderade all text som syntes på skärmen och började skriva med hög hastighet. *Absolut inte. Zuzonpartikelns egenskaper är nyckeln till att förstå sambandet mellan de fyra krafterna och materiens uppkomst. Min uppfattning är att ett experiment på den energiskala du föreslår kommer att resultera i en dramatisk och livshotande explosion, vilket innebär ett bevis för att mina teorier om de fundamentala partiklarnas natur och dynamiken i universum stämmer.*

Men så snart Zuzubin hade fyllt i den nya texten hoppade markören tillbaka och ersatte den med professorns ursprungliga replik.

"Det är inte en film", mumlade George. "Det här har verkligen hänt! Han använder Kosmos för att se sig själv i det förflutna, när han höll en föreläsning i Foxbridge! Och han försöker förändra den – det ser ut som att han har skapat ett Photoshop-liknande program till Kosmos och försöker ändra på vad han sa och gjorde."

"Varför?" frågade Annie.

"Han vill få det att se ut som om han förutsåg det som håller på att hända", sa George. "Han använder Kosmos för att gå tillbaka och ändra det förflutna så att *hans* teorier verkar stämma – och din pappas ser ut att vara fel. Och han försöker visa att han förutspådde att acceleratorn skulle explodera."

Zuzubin hade varit för koncentrerad på det han höll på med för att lägga märke till eventuella ljud från barnen. Men inte ens han kunde undgå att höra när Georges mobiltelefon började spela titelmelodin från *Star Wars*.

George reagerade blixtsnabbt. Han släppte telefonen och sparkade den bakåt till Vincent, som böjde sig ned och plockade upp den, tryckte på AVSLUTA SAMTAL och ändrade till ljudlöst läge.

Men det var för sent. Zuzubin hade upptäckt dem. Han vände sig om med ursinnig blick – men log när han såg de två ögonparen som stirrade på honom från det omsorgsfullt uppbyggda berget av bråte som han använt för att dölja den ursprungliga superdatorn från omvärlden.

"George!" utbrast han och visade tänderna i ett brett flin. "Och titta där, är det inte min lilla vän Annie? Kom, mina kära barn. Kom hit! Annie, jag höll dig i min famn när du var bebis – du har ingenting att vara rädd för!"

George och Annie hade inget val. De klev fram, men Vincent stannade bland de gamla möblerna. Zuzubin verkade inte ha sett honom, så om han bara kunde hålla sig gömd så kanske han skulle kunna hjälpa Annie och George om de hamnade i knipa. Vincent hade inte  begripit mycket av det den gamle vetenskapsmannen sagt, men han förstod att man inte kunde lita på en person som försökte ändra det förflutna så att han själv verkade ha rätt och någon annan fel.

"Annie", kuttrade Zuzubin. "Vad stor du har blivit! Så lång! Så klipsk! Vad roligt att se dig igen. Men varför är ni så oroliga, barn? Varför så ängsliga? Vad kan professor Zuzubin hjälpa er med? Berätta för mig, mina kära! Ni kan lita på mig!"

George nöp Annie för att hon inte skulle säga något, men det gjorde ingen nytta. Annie var så desperat att hon litade på alla som erbjöd sin hjälp.

"Professor Zuzubin ...", började hon med darrande röst.

Den gamle mannen sträckte sig bakåt och stängde av gamla Kosmos skärm i smyg så att filmen av det förflutna inte längre syntes.

"Vi måste ta oss till LHC-acceleratorn", fortsatte Annie. "Någonting fruktansvärt kommer att hända där! Vi måste rädda pappa! Vi vill att du skickar oss till LHC-acceleratorn med gamla Kosmos så att vi kommer i tid och kan hindra bomben från att sprängas."

"Är din far i knipa?" frågade Zuzubin med spelad oro. "En bomb? LHC-acceleratorn? Jag tror knappt mina öron! Eric kan väl aldrig ..." Han kom av sig och såg misstänksamt på George.

"Säg inget mer ..." George hade inte höjt rösten över en viskning, men Zuzubin hade hört honom.

"Och varför inte det?" frågade han. "Eric var min favoritstudent, min största framgångssaga någonsin. Om han är i fara så är det en ära och ett privilegium för mig att få hjälpa honom." Han bugade djupt för att visa att han menade allvar.

Annie vände sig mot George. "Vi har inget annat val", sa hon panikslaget. "Det finns ingen annan vi kan fråga!"

"Ni vill alltså färdas till acceleratorn", sa Zuzubin mjukt. "Visst, det är inga problem. Jag kan skicka dit er på mindre än en sekund." Han knappade in några kommandon på tangentbordet och sträckte handen mot en av den kolossala datorns dörrar.

"När jag öppnar den här dörren så kommer Kosmos att föra er direkt till platsen där ni behöver vara – raka vägen till den rätta destinationen", kuttrade Zuzubin. "Du kan bli en hjälte i dag,

Annie. Du kommer att lösa alla problem så att allting ordnar sig igen, Annie."

Annies ögon glittrade. *Hon* skulle för en gångs skull få vara hjälten. *Hon* skulle för en gångs skull vara personen som betydde något, som fixade problemen. Inte hennes pappa, inte hennes mamma och inte George – nej, *hon*.

"Jag ska göra det!" sa hon beslutsamt. "För mig till acceleratorn!"

"Men du kan inte resa ensam", sa Zuzubin och skakade bekymrat på huvudet. "Din lille vän måste följa med. Du måste resa tillsammans med George, annars kan inte Kosmos förflytta dig."

"Annie …", sa George och drog febrilt i hennes T-shirt. "Nej! Det är något som inte stämmer!"

"Jag bryr mig inte!" förkunnade Annie. "Professor Zuzubin, öppna Kosmos." Hon vände sig mot George och blängde på honom. "Skicka oss till acceleratorn."

"Men ska vi inte ha rymddräkter?" frågade George förtvivlat. "Vi har inga rymddräkter!"

"Ni ska inte ut i rymden", sa Zuzubin med samma silkeslena tonfall som tidigare. "Vad ska ni med rymddräkter till? Det här handlar bara om en kort tur till ett annat land. Portalen kommer att ta er till ert mål nästan ögonblickligen." Han höll handen på dörrhandtaget. "Det lovar jag. Jag svär att det är sant – vid eden jag har avlagt som medlem i Sällskapet för Vetenskaplig Forskning i Mänsklighetens Tjänst!"

"Ser du?" frågade Annie. "Han har svurit eden – samma ed som både du själv och jag har svurit – samma ed som pappa och alla hans forskarvänner har avlagt! Han skulle aldrig ljuga när det handlar om eden!"

"Det skulle jag definitivt inte göra", sa Zuzubin allvarligt. "Men nu måste du lyssna noga, Annie. Det är du som är hjälten ... du ska färdas genom portalen ... det är du som kommer att reda ut det här." Hans röst hade en märklig, hypnotisk effekt. Annie blinkade snabbt och hennes huvud såg ut att svaja lätt fram och tillbaka.

George kastade en blick på sitt armbandsur. Klockan var redan sex i Foxbridge, vilket innebar att hon var sju i Schweiz – det var bara en halvtimme kvar tills kvantbomben exploderade tillsammans med det stora experimentet, Eric och världens ledande naturvetenskapsmän. När Zuzubin märkte att George började ge med sig blinkade han åt Annie och drog upp dörren. Bakom den fanns bara mörker. "Kliv in", uppmanade Zuzubin. "Kliv in, mina barn! Zuzubin ska se till att ni är trygga och säkra ... trygga och säkra ... mina kära små barn."

Annie klev fram och gick in genom den mörka dörröppningen som om hon var i trans eller gick i sömnen. Hon försvann på bara några sekunder.

George kunde inte låta henne gå ensam. Han hade ingen

aning om var hon skulle hamna: även om hon genom något mirakel faktiskt fördes till acceleratorn så skulle hon aldrig kunna desarmera den kvantmekaniska bomben, för hon hade inte koden. Han sprang efter henne.

Vilken skillnad det var mellan gamla Kosmos – världens första superdator – och nya Kosmos, den eleganta, bärbara och pratsamma lilla datorn de kände och älskade. Att handskas med gamla Kosmos var som att försöka styra ett jättelikt kryssningsfartyg när man var van vid en snärtig liten racerbåt.

George stålsatte sig, klev fram och passerade än en gång genom portalen till mysteriernas och äventyrens okända värld. Mörkret hade snart slukat honom.

Kapitel sexton

Vincent såg allt som hände från sitt gömställe bakom skrotberget. Han såg Zuzubins olycksbådande ansikte och trots att han inte kunde uppfatta alla ord den gamle mannen sagt så märkte han hur kluven och förvirrad Annie såg ut och hur George blev allt rödare av ilska. Vincent såg hur George protesterade, men visste att det inte fanns mycket den andre pojken kunde göra.

Så snart Zuzubin hade öppnat portaldörren som Annie trodde skulle föra dem raka vägen till acceleratorn och hennes far så visste Vincent – precis som George – att deras öde var beseglat. Han förberedde sig på att hoppa fram från sitt gömställe. Vincent upprepade karatemantrat för sig själv, precis som han alltid gjorde innan han använde sina karatefärdigheter:

"Jag kommer till dig med enbart karate, mina tomma händer. Jag har inga vapen, men om jag skulle bli tvungen att försvara mig själv, mina principer eller min heder – om det skulle vara en fråga om liv eller död, rätt eller fel – så är detta mina vapen: karate, mina tomma händer."

Men när Vincent tittade upp så hade Annie och George försvunnit och kvar framför den stora, tysta datorn stod bara gamle Zuzubin, som skrattade och skrattade så att tårarna rann utmed hans rynkiga kinder och han var tvungen att ta fram en perfekt struken vit näsduk för att torka dem. När han till sist slutade skratta slog han på skärmen igen, men nu bytte han kanal.

Vincent kikade genom bråten för att se vad den gamle mannen gjorde nu – på skärmen kunde han ana bilden av ett rum där två små figurer gick omkring. Han smög närmare så tyst han kunde samtidigt som Zuzubin tog upp en gammalmodig mikrofon och började tala i den. "George och Annie …", började han.

När Annie och George kom ut genom gamla Kosmos portal befann de sig i fullständigt mörker. Bakom dem klickade det när dörren stängdes. De hade ingen som helst aning om var de var förrän ett ljus tändes och lyste upp platsen. Under ett kort ögonblick kunde de bara stå och gapa. De hade aldrig tidigare klivit igenom en portal och kommit till ett sådant här ställe. De hade nästan vant sig vid att kliva ut ur Kosmos portal och möta främmande gravitationsförhållanden där de flög upp i någon främmande planets atmosfär eller drogs ned mot ytan. Under sina tidigare resor hade de hamnat framför mörka metansjöar, vulkaner som sprutade ut plymer av långsam, klibbig lava och sandstormar som kunde sluka planeter. De hade sett en solnedgång med två solar och ett exploderande svart hål de fått bevittna som vid snabbspolning. Men de hade aldrig tidigare varit på ett ställe som detta.

På vissa sätt var det bara ett rum, så det var svårt att säga varför det kändes så obehagligt. Det var fyrkantigt med normal takhöjd och innehöll en bekväm soffa, en TV-apparat och några mysiga fåtöljer. På golvet låg en mönstrad matta och längs väggarna stod bokhyllor med hundratals inbundna böcker som sorterats alfabetiskt.

I en av fåtöljerna sträckte en katt på sig och började spinna.
Gardinerna var fördragna, men Annie sprang raka vägen fram
och drog undan dem. De två vännerna blickade ut över en
snötäckt bergskedja med mörka granar som växte nedanför.
Himlen var klarblå över de närmaste bergstopparna, men mörka
moln hade samlats bakom bergen i fjärran. "Var är vi?" frågade
Annie.

"Jag vet inte", sa George långsamt och såg sig omkring. "Men
det här är definitivt inte LHC-acceleratorn." Båda två kände att
någonting var väldigt, väldigt fel med det här rummet.

"Kan det vara Alperna vi ser?" undrade Annie hoppfullt. "Ska
vi öppna dörren? Acceleratorn kanske är alldeles i närheten."

Dörren de hade kommit genom hade stängts bakom dem. Båda två tittade på den.

"Borde inte den bara leda tillbaka till Foxbridge?" frågade George. "Vi behöver väl en annan dörr för att komma härifrån?"

I det ögonblicket knastrade det till och den uråldriga TV-apparaten vaknade till liv. Svartvita blixtar for över skärmen så att man bara kunde ana den suddiga bilden bakom dem. Men rösten de hörde gick inte att ta miste på. Professor Zuzubin talade till dem från TV-apparaten, omedveten om att Vincent satt gömd bakom honom och bara väntade på rätt tillfälle att slå till.

"George och Annie", sa professorn och hans ansikte syntes lite tydligare när skärmen slutade flimra.

"Det är *Zuzubin*!" skrek Annie. De kunde se både honom och skräpet i bakgrunden. Allt föll på plats för George – rösterna de hade hört i källaren, de gula glasögonen Zuzubin haft på sig, fraserna han hade hört på radionyheterna och gamla Kosmos som använts i källaren i hemlighet.

"Det var alltså *du* hela tiden!" sa George och talade till TV-apparaten. "Det är *du* som har rest omkring i universum och lämnat kvar grejer i svarta hål! Det var *du* som kokade ihop teorin om det äkta vakuumet för att skrämma vanliga människor och locka in dem

i TOARING! *Du* är medlemmen som förrådde Sällskapet för Vetenskaplig Forskning. Du sammankallade mötet i kväll för att samla alla ledande fysiker på en och samma plats – så att du kan spränga allihop i luften och bli ensam kvar! Du vill ändra på det förflutna så att det ska se ut som om du har haft rätt hela tiden – att dina teorier, som alla har glömt, bevisade att LHC-acceleratorn skulle explodera!"

"Och jag har lyckats med precis alltihop", sa Zuzubin elakt. "Om en liten stund kommer acceleratorn mycket riktigt att explodera och då kommer världen att inse att jag är en vetenskapsman som man inte borde ha glömt! Det kommer att se ut som om jag har haft rätt hela tiden och det kommer inte att finnas några fysiker kvar som kan ifrågasätta mig. Jag har vunnit!"

"Nej, du har fuskat!" ropade George till TV-apparaten. "Det här är inte att vinna – det är att vara den störste förloraren av alla!"

Annie avbröt honom. "Var *är* vi?" skrek hon och tryckte ansiktet mot skärmen. "Du lovade att vi skulle komma helskinnade till LHC-acceleratorn. Du svor vid den vetenskapliga eden!"

"Nej, nej, kära du", sa Zuzubin och skrockade. "Om du hade lyssnat lite noggrannare och varit mogen nog att inte dra förhastade slutsatser så hade du hört vad jag sa. Jag sa att jag skulle skicka er raka vägen till den rätta destinationen. Och det är dit ni har kommit. Jag berättade aldrig vad det var för destination."

En interstellär pelare
av gas och stoft i
Carinanebulosan.

Ovan: Bild i synligt
ljus (olika färger för
olika gaser).

Till höger: Pelaren sedd
i infrarött ljus (färgerna
motsvarar olika
våglängder).

Kosmiska isskulpturer i Carinanebulosan ...

Örnnebulosan.

Nebulosan NGC 6888.

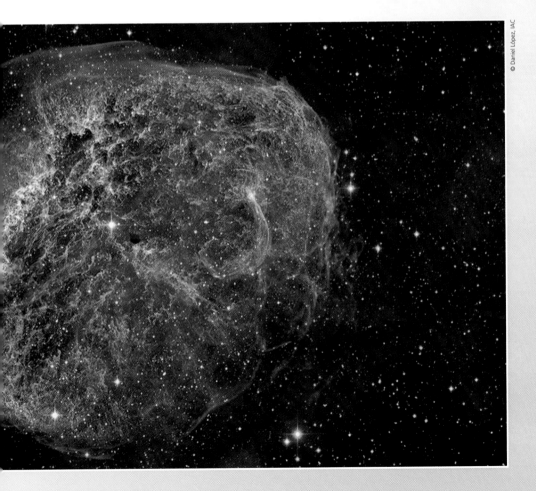

"Barnkammare" för stjärnor i konstellationen Orion.

NASA, ESA, and the Hubble Heritage Team (STScI/AURA)

Ett interstellärt svampmoln – gasen från en exploderande supernova expanderar ut i rymden.

Annie sprang fram till dörren och stannade alldeles framför den.

"Vänta!" sa George. "Annie, öppna den inte. Vi har ingen aning om vad som väntar bakom den."

"Precis", sa Zuzubin. "Ni är i en omvänd Schrödingerfälla, mina kära små vänner. Och det var enkelt! Ni promenerade bara rakt in!"

"Vad betyder det?" frågade Annie förvirrat.

George suckade tungt. "Det betyder att vi inte kan veta var vi är förrän vi har öppnat dörren. Vi kan vara var som helst, men vi kan inte få något riktigt svar på frågan så länge dörren är stängd."

"Mycket bra, mycket bra", mumlade Zuzubin. "Medan dörren är stängd befinner ni er på ett oändligt antal platser. Jag kanske ska visa några av möjligheterna?" Landskapet utanför fönstret ändrades så att allt barnen såg var en glödande gulvit massa. Annie och George fick skydda ögonen för att inte bländas av det starka skenet.

"Ni kanske är vid jordens medelpunkt", sa Zuzubin. "Mitt i den inre kärnans kristalliska centrum. I så fall befinner ni er i hjärtat av en över två tusen kilometer stor kula av kompakt järn som är ungefär lika varm som solens yta. Trycket är tre komma fem miljoner gånger så stort som på planetens yta. Snälla, öppna dörren! Var så goda! Det skulle vara så intressant att få se vad som händer – kommer ni att stekas eller krossas? Vilket sker först?"

George öppnade munnen och stirrade förfärat på fönstret.

"Jaså, har du för ovanlighets skull ingenting att säga?" frågade Zuzubin. "Då ska jag fortsätta med geologilektionen. Runt järnkulan finns en yttre kärna av flytande järn – som för övrigt även den är oerhört het – och utanför den finns en mantel av sten som ibland släpper igenom vulkanisk lava. Även om ni kom så pass långt så skulle blodet bubbla i era ådror, eftersom det är otroligt varmt där också. Men det är inte allt! Därifrån skulle ni vara tvungna att gräva er igenom den fyrtio kilometer tjocka stenskorpan för att komma till ytan. Efter bara några kilometer kanske ni skulle upptäcka att havsbotten ligger ovanför! Kära barn!" Han slog ihop händerna. "Ska vi titta på hur *det* skulle vara?"

Annie satte sig hastigt ned, rakt på katten, som jamade argt

och pilade iväg och satte sig på soffan i stället. Där började den att tvätta tassarna medan den blängde på henne.

Vyn utanför fönstret förändrades igen. Den här gången var de under vattnet i en djup grav, så långt ned att solens strålar aldrig nådde dit. I skenet från rummet bakom dem kunde de se snirkliga revbildningar och en plym av svart rök som letade sig upp genom ett hål i havsbotten.

"Låt oss säga att ni kom ut på Stilla havets botten, vid en het källa", sa Zuzubin ivrigt. "Här lever märkliga förhistoriska livsformer som är dolda från mänsklighetens blickar och som lever på mineraler som tränger ut genom springor från själva jordkärnan."

En jättelik mask som var längre än något av barnen simmade rakt mot fönstret och stötte emot det. Den långa, bleka kroppen klafsade mot glasrutan innan den drog sig tillbaka som av förvåning.

"Kära nån, han såg oss inte!" utbrast professor Zuzubin. "Men det är klart, han har ju inte heller några ögon. Han är en gigantisk rörmask – vilken härlig varelse! Visst skulle ni gilla att ta en liten simtur med honom? Han är ganska snäll." Zuzubin log. "Men det spelar egentligen ingen roll. Ni skulle trots allt kokas levande i värmen från den hydrotermiska källan. Om ni inte drunknade först, alltså."

George satte sig ned bredvid Annie och lade armen om henne. Hon skakade. "Titta inte mer", sa han. "Han vill bara skrämmas. Låt honom inte lyckas." Men George kunde själv inte slita blicken från den förskräckliga synen utanför fönstret.

"Jag ser att ni inte är nöjda än!" sa Zuzubin bedrövat. Än en gång förändrades bilden utanför fönstret. Den här gången kunde de bara se mil efter mil av isflak som sträckte sig bort från fönstret i oändlighet. "Ni kanske inte gillar värme! Vi kan prova någonting annat. Ni kanske är på Sydpolen, mitt under den antarktiska vintern." Kraftiga vindar slog mot rutan. Längre bort kunde barnen ana en grupp pingviner som stod med nedböjda huvuden för att skydda sig mot den hårda, iskalla vinden.

"Ni ser själva, små barn, vilka oändliga möjligheter som finns

på andra sidan dörren", sa Zuzubin som tycktes njuta av att ha så hänförda lyssnare. "Kanske har ni blivit krympta till kvantstorlek! Då kan ni få reda på hur det känns att vara en kvark!"

"Det går inte", sa George. "Det är omöjligt."

"Jaså, säger du det?" sa Zuzubin. "Skulle du inte kunna fångas för alltid tillsammans med tre kvarkar och de myriader par av kvarkar och antikvarkar och gluoner som svärmar runt inuti en proton? Om man blev fast på ett sådant ställe skulle man inte ha så stor chans att fly. Ingen har någonsin sett en kvark utanför en hadron, George och ingen kommer någonsin att se dig …"

"Nej", sa George envist. "Det där är nonsens och helt fel!"

"Jag ska låta dig ta reda på det själv", sa Zuzubin mjukt.

"Experiment är en viktig del av vetenskapen och jag ser fram emot resultaten av dina försök att motbevisa mig."

"*Håll klaffen!*" tjöt Annie. "Vi måste härifrån!"

"Var så goda", sa Zuzubin. "Stanna inte en sekund längre än ni själva vill. Det är bara att öppna dörren."

"Men det kan vi inte!" sa Annie och sjönk ned i soffan. "Eller kan vi det? Om vi öppnar dörren så kommer vi förmodligen att dö …"

"Bara förmodligen …", sa Zuzubin lugnande.

"Det betyder att vi sitter fast …", sa George långsamt. "I det här rummet … För alltid."

"Jag har försett er med rikliga mängder lektyr", sa Zuzubin. "På bokhyllorna finns alla de stora verken och det finns lite näring i kylskåpet."

Annie hoppade upp och gick fram till kylskåpet, som om det kunde visa henne en väg ut ur den här fällan. Men allt som fanns där inne var ett paket frukostflingor, fem stora chokladbitar och en flaska mjölk med texten KATT.

"Flingor och choklad?" protesterade Annie.

"Jag har alltid tyckt att det är en fullkomligt adekvat diet", sa Zuzubin kyligt. "Om jag haft tid så hade jag frågat närmare om era kulinariska preferenser. Tyvärr hade ni så förfärligt bråttom."

"Det här är *ditt* rum, va?" sa George när sanningen började gå upp för honom. "Det är här du bor när du håller dig undan – du kommer hit när du försvinner."

"Det är fridfullt", medgav Zuzubin. "Där har jag lugn och ro för att tänka."

KVANTVÄRLDEN: OBESTÄMDHETS-PRINCIPEN OCH SCHRÖDINGERS KAT

Kvantvärlden är atomernas och de subatomära partiklarnas värld. Den *makroskopiska världen* är människornas och planeternas värld. De tycks vara två väldigt olika platser:

M

Makroskopiska världen: vi kan veta både *var* någonting befinner sig (läge) och *hur snabbt* det rör sig (hastighet).

Makroskopiska världen: en boll som kastas från punkt A till punkt B färdas längs en definitiv bana. Om en vägg med två hål står i vägen så färdas bollen antingen genom det ena hålet eller det andra.

Makroskopiska världen: vi vet att bollen är på väg mot B snarare än något annat mål.

Makroskopiska världen: varsam observation påverkar inte bollens rörelse.

K

Kvantvärlden: vi *kan inte* veta båda delarna med exakthet och kanske ingen av dem – detta kallas *Heisenbergs obestämdhetsprincip*.

Kvantvärlden: en partikel följer *alla* vägar från punkt A till punkt B, inklusive vägar genom olika hål – vägarna bildar tillsammans en *vågfunktion* som utgår från A.

Kvantvärlden: partikeln kan nå allting som vågfunktionen kan nå. Det är först när vi gör en observation som vi upptäcker var den är.

Kvantvärlden: observationer förändrar vågfunktionen helt och hållet – om vi till exempel observerar vår partikel vid punkt C, så *kollapsar* vågfunktionen så att den befinner sig helt och hållet vid C (innan den fortsätter att breda ut sig).

En katt i en låda!

Men katter (makroskopiska världen!) är gjorda av atomer (kvantvärlden!). Erwin Schrödinger föreställde sig vad detta kan innebära för en katt – men prova inte detta på din egen katt (det gjorde inte Schrödinger heller)!

Han föreställde sig att man stänger in en katt inuti en (helt ljus- och ljudtät) låda tillsammans med lite gift, en geigermätare och en liten mängd radioaktivt material. När mätaren piper (för att en atom sänder ut strålning) så släpps giftet automatiskt ut. Lever katten efter att ha tillbringat en liten stund i lådan? Atomerna i lådan (inklusive kattens) tar alla möjliga vägar: vissa innebär att strålning uppstår och giftet släpps ut, medan andra inte gör det. Det är först när vi gör en observation genom att öppna lådan som vi upptäcker om katten har överlevt. Dessförinnan är katten varken helt död eller helt levande – på sätt och vis är den en blandning av båda!

Märkligt!

"Det *går* alltså att komma härifrån", sa George och pekade på Zuzubin genom TV-skärmen. "Om du kan återvända till Foxbridge härifrån så kan vi också göra det. Du lär knappast riskera att komma till något slumpmässigt ställe när du öppnar dörren. Jag slår vad om att du har använt det här rummet för att komma till LHC-acceleratorn och en massa andra ställen. Det är så du reser runt!"

"Ja, givetvis!" sa Zuzubin. "Genom att använda TV:ns fjärrkontroll kan jag göra en observation som får portalen att välja en definitiv plats. Så när jag öppnar dörren har den fört mig till den valda destinationen."

"Fjärrkontrollen!" ropade George. "Annie, vi måste hitta fjärrkontrollen till TV-apparaten!"

"Ni kan leta så mycket ni vill", fnös Zuzubin och dinglade med ett föremål framför skärmen. George sjönk ihop och kände sig besegrad när han insåg att det var fjärrkontrollen som Zuzubin höll i handen.

"Tänker du bara lämna oss här medan min far sprängs i bitar?" frågade Annie väldigt tyst. Det verkade som om allt hopp hade lämnat henne.

"Just det", bekräftade Zuzubin. "Vill ni titta? Jag kan spela upp det på TV-apparaten om ni vill. Jag vill gärna göra mina gäster nöjda."

"Neeeeej!" ropade Annie så plågat och högt att Vincent kunde höra det i Foxbridge. Det var då han insåg att det var dags att göra något.

Kapitel sjutton

Vincent hade stått gömd bakom den gamle professorn i
förhoppningen om att han skulle ge någon sorts ledtråd till hur
Annie och George kunde släppas ut ur fällan. Han visste att han
enkelt kunde övermanna den gamle mannen, men vad skulle det
göra för nytta? Om Zuzubin inte avslöjade hur man skulle få ut
George och Annie ur det bisarra rummet som syntes på skärmen
så skulle de vara i en ännu värre knipa än innan.

Vincent kastade en blick på Georges mobiltelefon som han
hade tagit upp från golvet. "MISSAT SAMTAL – HEM", stod
det på displayen. Det var i det ögonblicket han hörde Annies
plågade skrik och förstod att han inte bara kunde titta på.

Vincent stålsatte sig och kastade sig fram från sitt gömställe
bakom möblerna med ett högt stridstjut. Han flög genom luften
och landade alldeles bakom Zuzubin, som han slog omkull
med ett snabbt och träffsäkert karateslag. Zuzubin hade hunnit
vända sig halvvägs av förvåning, men nu föll han omkull som
ett urgammalt träd och ögonen rullade bakåt så att ögonvitorna

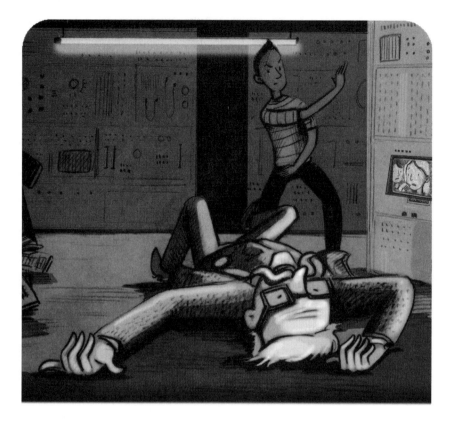

blottades innan han blev liggande medvetslös på golvet.

På skärmen kunde Vincent se hur Annie och George tittade på honom med förbluffade ansikten.

"Vincent!" Annie täckte TV-skärmen med kyssar.

George drog tillbaka henne. "Vincent!" sa han. "Strålande gjort!"

"Vincent, du är bäst!" sa Annie.

George puffade henne återigen åt sidan med armbågen. "Men hur ska vi komma ut, Vince?"

"Ring pappa!" ropade Annie. "Berätta för honom om bomben vid LHC-acceleratorn!"

Vincent tog upp Georges mobiltelefon och rullade ned genom kontaktlistan tills han hittade Eric. Han tryckte på den gröna telefonikonen och väntade. Men det enda som hände var att en elektronisk röst förklarade att telefonen var avstängd och att han skulle försöka igen senare.

"Fjärrkontrollen!" ropade George. "Vince, ta fjärrkontrollen från Zuzubin!"

Vincent tittade ned på den orörlige Zuzubin, som låg utsträckt på golvet i sin tweedkostym med mustaschen slokande åt ena hållet. Han böjde sig ned, lirkade loss fjärrkontrollen ur Zuzubins fingrar och höll upp den framför skärmen så att George och Annie kunde se den.

"Är det den här?" frågade Vincent.

"Ja!" sa George. "Det är den! Kan du få ut oss nu?"

"Jo, men typ ... hur då?" frågade Vincent lågt. "Hur funkar den här grejen?"

"Å nej", sa George. "Det tänkte jag inte på. Jag har ingen aning!"

"Kan ni titta närmare på den?" frågade Vincent och höll fram kontrollen alldeles framför skärmen.

"Det hjälper inte", sa George frustrerat. "Bilden är inte tillräckligt tydlig. Och du, Vince", tillade han. "Du måste skynda dig. Vi har inte speciellt gott om tid!"

"Ring LHC!" sa Annie. "Berätta för forskarna om bomben!"

"Glöm det", sa George. "De kommer inte att tro honom.

Det finns bara ett sätt att reda ut det här på – att resa dit och desarmera bomben själva." På andra sidan stod Vincent och stirrade på fjärrkontrollen.

"På fjärrkontrollen hemma växlar man mellan olika funktioner med knappen INPUT", sa han långsamt. "Det är väl ungefär det vi behöver göra nu. Vi måste se till att Schrödingerfällan ändras från en fälla till en portal. Ska jag försöka?" frågade han nervöst.

"Du måste!" sa George. "Det är vårt enda hopp!"

Vincent tog ett djupt andetag och tryckte på INPUT. Ingenting hände. När han tryckte en gång till kom en lista upp på Kosmos skärm. Samma lista med alternativ kom upp på TV-skärmen inne i rummet där Annie och George var. Vincent läste högt upp det första alternativet för sina vänner som väntade inuti den omvända Schrödingerfällan: "Foxbridge". Sedan läste han upp det andra alternativet: "LHC-acceleratorn".

"Det där måste vara platser som Zuzubin har besökt! Om vi väljer acceleratorn så kanske vi förs till platsen där han har lagt bomben! Finns det pilknappar på den där fjärren?" George pratade väldigt fort nu. "Använd dem och välj LHC-acceleratorn!"

"Jag vet inte", gnällde Vincent. När det gällde farliga sporter som skateboardåkning och karate var han helt orädd. Men tanken på att skicka sina vänner i fara gjorde honom skräckslagen. "Jag kan inte!" sa han. "Jag kan inte skicka er till LHC-acceleratorn! Vi vet ju att det finns en bomb där!"

"Gör det, Vincent!" sa Annie och knuffade George ur vägen. "Du måste skicka oss till LHC-acceleratorn! Om du inte gör det

så kommer min pappa aldrig att komma hem – det har Liemann
sagt! Ju snabbare du gör det, desto mer tid kommer
vi att ha på oss för att hitta bomben och desarmera
den. Tryck på knappen, Vince! Tryck, så att vi kan
öppna dörren. Skicka dit oss!"

Vincent suckade hjärtskärande, markerade
alternativet "LHC-acceleratorn" i menyn och
valde det.

Och i precis samma stund sträckte sig
George fram och drog upp dörren ...

Det sista Vincent såg av sina vänner på
skärmen var deras ryggar som försvann genom portaldörren.
Hade han lyckats använda Kosmos korrekt? Skulle de komma
oskadda till LHC-acceleratorn? Borde han verkligen ha skickat
dem till acceleratorn, där en bomb snart skulle sprängas? Borde
han inte ha fört dem tillbaka till Foxbridge? Och tänk om han
hade tryckt på fel knapp och öppnat någonting exotiskt som ett
maskhål för dem? Tänk om han av misstag hade skickat dem
tillbaka i tiden? Vad skulle han göra då?

Vincent sjönk sakta ned på golvet och väntade med huvudet
i händerna, medan Zuzubin, hjärnan bakom de ondskefulla
planerna, snarkade bredvid honom.

Maskhål och resor i tiden

Föreställ dig att du är en myra och bor på utsidan av ett äpple. Äpplet hänger från taket i en tråd som är så tunn att du inte kan klättra upp för den, så äpplets yta är ditt universum. Du kommer ingen annanstans. Föreställ dig nu att en mask har gjort ett hål rakt genom äpplet så att du kan komma från ena sidan av äpplet till den andra på två olika sätt: antingen runt äpplets yta (ditt universum) eller med hjälp av genvägen genom maskhålet.

Kan vårt universum vara som det här äpplet? Kan det finnas maskhål som leder från ett ställe i vårt universum till ett annat? Hur skulle i så fall ett sådant maskhål se ut?

Maskhålet skulle ha två öppningar, en i varje ände. Den ena öppningen skulle kunna finnas mitt i Stockholm och den andra på en strand i Kalifornien. Öppningarna kanske är klotformade. När du tittar in genom öppningen i Stockholm (ungefär som att titta in i en kristallkula) ser du vajande palmer och vågor som slår mot Kaliforniens stränder. När din kompis i Kalifornien tittar in i sin öppning ser han eller hon hur du står i Stockholm med stadens byggnader i bakgrunden. Till skillnad från kristallkulor är de här öppningarna inte solida. Du skulle kunna kliva rakt in i den stora klotformade öppningen i Stockholm. Efter att ha flugit ett kort ögonblick genom en besynnerlig tunnel skulle du komma ut på stranden i Kalifornien och kunna ägna resten av dagen åt att surfa med din kompis. Visst skulle det vara underbart att ha ett sådant maskhål?

Äpplets insida har tre dimensioner (öst-väst, nord-syd och upp-ned) medan utsidan bara har två. Äpplets maskhål binder ihop punkter på den tvådimensionella ytan genom att ta vägen genom dess tredimensionella inre. På samma sätt binder ditt maskhål ihop Stockholm och Kalifornien i vårt tredimensionella universum genom att ta vägen genom den fyrdimensionella *hyperrymden* som inte hör till vårt universum.

Vårt universum följer *fysikens lagar*. De här lagarna dikterar vad som kan hända i vårt universum och vad som inte är möjligt. Tillåter dessa lagar att det finns maskhål? Förbluffande nog så är svaret ja!

Olyckligtvis (enligt dessa lagar) så kommer de flesta maskhål att implodera – tunnelväggarna kommer att kollapsa – så snabbt att ingen och inget som färdas genom dem kan överleva. För att förhindra den här implosionen så måste vi skicka in en märklig form av materia i maskhålet: materia som har *negativ energi* och producerar ett slags antigravitationsfält som håller maskhålet öppet.

Kan materia med negativ energi existera? Konstigt nog så är svaret återigen ja! Och sådan materia tillverkas dagligen i fysiklaboratorier, men endast i mycket små mängder eller för väldigt korta tidsperioder. Den framställs genom att man lånar energi från en del av rymden som inte innehåller någon energi. Man lånar med andra ord från "vakuumet". Så länge mängden som lånas inte är väldigt liten så måste den dock lämnas tillbaka väldigt fort. Hur vet vi detta? Vi har fått reda på det genom att noggrant studera fysikens lagar med hjälp av matematik.

Anta att du är en fantastisk ingenjör som vill hålla ett maskhål öppet. Skulle det vara möjligt att samla tillräckligt mycket negativ energi inuti ett maskhål och hålla kvar den där så länge att dina vänner kan resa igenom? Min bästa gissning är "nej", men ingen på jorden vet säkert – än. Vi har inte varit tillräckligt smarta för att lista ut det.

Om det faktiskt är möjligt att hålla maskhål öppna enligt

naturlagarna, skulle sådana maskhål kunna förekomma naturligt i vårt universum? Förmodligen inte. Det skulle med största sannolikhet krävas ingenjörer som framställde dem och höll dem öppna på konstgjord väg.

Hur långt är mänsklighetens ingenjörer i dag från att kunna skapa maskhål och hålla dem öppna? Väldigt, väldigt långt. Maskhålsteknik, om den ens är möjlig, är förmodligen lika svår för oss som rymdresor var för stenåldersmänniskan. Men för en väldigt avancerad civilisation som har bemästrat maskhålstekniken skulle maskhål vara ett enastående hjälpmedel: en perfekt metod för resor mellan stjärnorna!

Föreställ dig att du är en ingenjör i en sådan civilisation. Du placerar ena änden av ett maskhål (en sådan där glob som liknar en kristallkula) på ett rymdskepp och tar med den ut i universum med mycket hög hastighet och återvänder sedan till din hemplanet. Fysikens lagar säger oss att den här resan kan ta några dagar utifrån hur den iakttas, upplevs och mäts ombord på rymdskeppet men flera år såsom den iakttas, upplevs och mäts på planeten. Resultatet är märkligt: om du nu klev in genom öppningen i rymden, genom det tunnelliknande maskhålet, och kom ut genom öppningen därhemma så skulle du komma flera år tillbaka i tiden. Maskhålet har blivit en maskin med vilkens hjälp man kan resa bakåt i tiden!

Med en sådan maskin skulle man kunna försöka förändra historien: du skulle kunna resa bakåt i tiden, möta ditt yngre jag på en bestämd dag och säga åt dig själv att stanna hemma för att du blev påkörd av en lastbil när du gick till jobbet den dagen.

Stephen Hawking har lagt fram en hypotes om att fysikens lagar förhindrar alla försök att bygga en tidsmaskin och att historien därför aldrig någonsin kan förändras. Denna hypotes kallas "kronologiskyddskonjekturen". Ordet "kronologi" betyder "placering av händelser eller datum i den ordning de inträffat". Vi vet inte med säkerhet huruvida Stephen har rätt, men vi vet att fysikens lagar på två olika sätt skulle kunna förhindra tidsmaskiner från att byggas och därigenom skydda kronologin.

För det första så skulle lagarna alltid kunna förhindra även den mest avancerade ingenjören från att samla tillräckligt mycket negativ energi för att hålla ett maskhål öppet och låta oss resa igenom det. Stephen har anmärkningsvärt nog bevisat (genom att använda fysikens lagar) att varje tidsmaskin behöver negativ energi för att fungera, så detta skulle göra *alla* tidsmaskiner omöjliga, inte bara sådana som använder maskhål.

Det andra som skulle kunna förhindra tidsmaskiner är detta: mina fysikerkolleger och jag har visat att tidsmaskiner *kanske* alltid utplånar sig själva, eventuellt i en kolossal explosion, i samma ögonblick som någon försöker aktivera dem. Fysikens lagar tyder starkt på att det kan vara så, men vi förstår ännu inte lagarna och vad de förutsäger tillräckligt väl för att vara säkra.

Så sista ordet är inte sagt. Vi vet inte med säkerhet huruvida fysikens lagar skulle tillåta väldigt avancerade civilisationer att bygga maskhål för att resa mellan stjärnorna eller tillverka maskiner som gör det möjligt att resa bakåt i tiden. För att få ett säkert svar på detta krävs det djupare kunskaper om lagarna än vad Stephen, jag själv eller någon annan forskare just nu har.

Det är en utmaning för er – nästa generations vetenskapsmän.

Kip

Kapitel arton

I TOARING:s hemliga högkvarter satt organisationens ledare
som klistrade framför en annan TV-skärm som visade en hemlig
överblick över startrummet vid LHC-acceleratorn.

"Det här kommer du att gilla", sa en av ledarna till Liemann,
som försökte se väldigt intresserad ut. Han vågade inte visa sina

riktiga känslor och riskera att TOARING upptäckte att han hade avslöjat deras planer. "Nu kommer du äntligen få se hur vi tar kål på din gamle fiende Eric Bellis för gott! Och det bästa av allt är att allmänheten kommer att tro att acceleratorn exploderade för att experimentet var för farligt och att Bellis hela tiden ljög om vilka risker den utgjorde."

"Ha ha." Liemann tvingade fram ett ihåligt skratt. "Så … oerhört fängslande." Han hade hoppats att hans flykt ut i rymden och hans möte med George på den snabba asteroiden på något sätt skulle ha grusat de här planerna.

Klockan tickade vidare. Mötet vid acceleratorn skulle börja klockan 19.30. Nu var hon redan 19.15. Startrummet började fyllas av vetenskapsmän. Det var en väldigt hemlig och skyddad plats som valts för mötet. Rummet låg under marken, precis som acceleratorns tunnlar och detektorgrottorna, men det var inte avstängt. En mycket tjock vägg skyddade vetenskapsmännen i startrummet från själva experimentet.

Det var också tryggt och privat. Åtminstone trodde medlemmarna i Sällskapet för Vetenskaplig Forskning i Mänsklighetens Tjänst det. De visste inte att någon hade gömt en dold kamera i rummet och trodde inte att det fanns någon som kunde se eller höra dem på den här platsen. Men faktum var att allt de sa och gjorde övervakades – av samma människor som Sällskapet hade så goda skäl att undvika.

Mitt i rummet stod lille Kosmos, som var en aning sliten efter griddens långa intervjuer. Skärmen var smutsig och skev och några kablar stack ut baktill. En vetenskapsman klev in i rummet

och synade honom och grimaserade när han såg skadorna på den
silverfärgade bärbara datorn.

"Är det där Bellis?" frågade TV-predikanten och kisade mot
skärmen.

"Nej", sa Liemann. "Bellis har inte kommit än." Han önskade
innerligt att Eric var någon annanstans i acceleratorkomplexet
och fick information från George om den kvantmekaniska
bomben!

"Han måste hinna dit till nitton och fyrtio", sa en annan
av TOARING:s ledare surt. "Han måste vara i explosionens
centrum."

Minuterna tickade vidare och Liemann höll andan. Men precis
när klockan slog 19.30 flög dörren till startrummet upp och
Eric strosade in. Han hade kommit tillbaka efter sin uppiggande
promenad och var fast besluten om att vara i god form när han
mötte sitt öde ...

På andra sidan av den två meter tjocka väggen störtade
George och Annie genom dörröppningen från den omvända
Schrödingerfällan. De snubblade över varandra när de flög genom
öppningen och landade i en hoptrasslad hög på ett metallgolv.

"Flyttapårej!" skrek Annie, som hamnat underst. George
rullade åt sidan och försökte resa sig, men hans ben darrade.
Han låg kvar på golvet en liten stund och stirrade på den enorma
metallskivan som tronade framför dem.

Den var formad som en väldigt enkel teckning av solen, rund
och glänsande, med solstrålar som ledde utåt från skivan i mitten.

Runt cirkelns kant fanns en ring av blå metallplattor och längre
ut sträckte sig jättelika grå rörformiga armar framåt som inför en
kolossal omfamning. Maskinen tornade upp sig som en katedral
ovanför dem – hög, tyst och imponerande i sin ofantliga storlek.
Det var en sådan plats där man ville viska.

George kom ostadigt på fötter. Han och Annie verkade ha
landat på någon sorts plattform. Hon hade inte rest sig än, utan
låg hopkurad som en boll på golvet. "Hur gick det?" frågade
George.

Hon vände ansiktet mot honom med slutna ögon. Hon slog
upp dem i en sekund och George såg en skymt av klarblått innan
hon knep ihop dem igen. "Jo, det gick bra", sa hon. "Men det
var som när man sover och någon tänder ljuset. Ge mig några
sekunder, bara."

George såg sig omkring. "Hallå!" sa han lågt. Ljudet
försvann i det enorma tomrummet, som om maskinen
hade svalt det. Han kunde höra märkliga, upprepade
visselljud – PEEooooo – PEEooooo – PEEooooo. Men det
verkade inte vara någon annan i närheten.

Vad George inte lade märke till var de pyttesmå rörelse-
detektorerna som genast hade observerat de obehöriga
människorna och satt igång larmsystemet samtidigt som
säkerhetskameror vidarebefordrade bilder av honom och Annie
till säkerhetsskärmar runtom i komplexet. Nere bland de
avancerade maskinerna, som var ordentligt avskärmade bakom
tjocka väggar, kunde George och Annie inte höra larmsignalen
som betydde att det elektroniska låssystemet hade utlösts och

en *stråldump* initierats. Det innebar att protonstrålarna hade skickats ut ur acceleratorns strålrör och slagit in i sju meter långa grafitcylindrar som var och en omgavs av en stålcylinder. De hade alltså ingen aning om att de hade upptäckts och utlöst en dramatisk och högljudd reaktion.

Annie reste sig på ostadiga ben och blinkade några gånger. "Är vi på ett rymdskepp?" viskade hon och såg sig omkring. "Är det här maskinrummet i någon sorts rymdfarkost?"

"Nej, det tror jag inte." George skakade på huvudet. "Gravitationen är normal. Och vi kan andas utan syrgastuber. Jag tror att vi är på jorden. Det här måste vara LHC-acceleratorn – vilket betyder att gamla Kosmos förde oss till rätt ställe."

"Puh, vilken tur", sa Annie och kom lite närmare, som hon

alltid gjorde när hon var nervös. "Men vart ska vi nu? Hur hittar vi pappa? Och vad …?"

George skulle just svara när Annie skrek till.

"Vad är det?" frågade han panikslaget. Annie stod alldeles bredvid honom och han kunde inte se någonting otäckt.

"Det är – någonting – lurvigt – på mitt ben!" flämtade hon och var som fastfrusen av skräck. George tittade ned. Den svartvita katten från Zuzubins djävulska fälla strök sig mot hennes anklar.

George plockade upp katten i famnen. "Ingen fara", sa han lugnande till både Annie och katten. "Det är bara Zuzubins kisse. Den måste ha följt med oss genom maskhålet." Han kliade katten, som spann och kröp ihop tätt intill honom.

"Är du säker på att den är ofarlig?" frågade Annie när hon hade hämtat sig efter chocken. "Eller har Zuzubin förvandlat sig till katt och följt efter oss för att hitta på mer djävulskap?"

"Näpp, det tror jag inte", sa George och klappade den mjuka svartvita pälsen. "Den här katten är snäll – han ville nog ut ur det där rummet lika mycket som vi ville. Titta …" Under kattens haka hängde en medalj med ingraverad text. "Vad står det?"

Annie vred på brickan så att hon kunde se bättre. *Belöning!* läste hon. *"Död eller levande!"* Hon vände på den. *"Schrödy* – det måste vara så han heter. Vänta, det står någonting annat också." Nedanför namnet stod följande med lite mindre bokstäver: *"Jag är katten som går för sig själv."*

Katten fräste plötsligt till och satte klorna i George, som genast släppte den.

"Aj!" tjöt han.

"Ser du?" sa Annie dystert. "Man kan inte lita på någonting från det där gräsliga rummet!"

Katten landade på alla fyra och reste sig upp på bakbenen likt en ballerina som dansar på tå. Han fräste flera gånger och krafsade på metallgolvet. Pälsen reste sig och katten krökte ryggen som om han stod framför en osynlig fiende. Han tittade upp på George med darrande morrhår och tittade sedan bort igen.

"Vad är det, Schrödy?" frågade George och satte sig på huk bredvid djuret.

"Säkert ännu ett trick", sa Annie varnande.

Schrödy tog några steg, men vände sig sedan om och kom tillbaka. Han kretsade runt George ett par gånger, gick iväg och kom tillbaka på nytt medan han kastade menande blickar i Georges riktning.

"Han vill att vi följer med", sa George långsamt.

"Vill du att vi ska följa efter en *katt*?" Annie rynkade klentroget pannan.

"Jag skickades ut i rymden av en talande hamster", påpekade George. "Och sedan blev jag fängslad i ett konstigt rum av en knäpp vetenskapsman som vill spränga LHC-acceleratorn. Så varför inte följa efter en katt? Han är trots allt Zuzubins katt."

"Jag trodde att han var Schrödingers katt", sa Annie.

"Strunt samma! Han är en fysikerkatt – han kanske vet något. Han kanske såg genom fönstret i Schrödingerfällan hur Zuzubin gömde bomben." George såg sig omkring på de kolossala och nästan ljudlösa maskinerna. "Just nu har vi faktiskt ingen annan ledtråd att följa och vi har ingen aning om hur vi ska hitta din pappa – eller bomben, för den delen."

Annie höll sin mobil i handen, men den hade ingen täckning.

"Om det här verkligen *är* LHC-acceleratorn", fortsatte George, "vilket det liksom *måste* vara, så är vi under marken. Den där saken är förmodligen någon sorts detektor som är lindad runt tuben där protonerna kolliderar." Han pekade på maskinen.

"Vilket betyder att vi är under jorden ... ungefär som i tunnelbanan", sa Annie långsamt.

"Japp", sa George. "Vi har kommit ut ur en fälla och klivit rakt in i en annan. Och den här är bra mycket farligare än den förra. Men det måste finnas en anledning till att vi kom hit – Kosmos har fört oss till en plats i LHC-komplexet där Zuzubin har varit förut. Det lär betyda att bomben finns i närheten."

Schrödy fräste igen och klöste otåligt i golvet. I den spöklika tystnaden runt den stora detektorn var det lätt för barnen att inbilla sig att de hörde bomben ticka under de sista minuterna innan den sprängdes och förstörde mänsklighetens största experiment någonsin – tillsammans med mängder av människoliv.

"Okej, vi följer efter katten!" Annie bröt tystnaden. "Kom igen, Schrödy, visa vägen."

Schrödy slickade sina morrhår och gav dem ett lurigt litet kattleende innan han började tassa mot plattformens kant. En rad blå trappor ledde ned från den. Katten stannade ovanför trapporna och tittade förväntansfullt på George.

"Han vill att du bär honom", översatte Annie.

"Inga klor, Schrödy!" sa George och lyfte upp katten i armarna och skyndade ned för trappan. Annie klampade efter. Det slamrade högt varje gång hon satte ned fötterna på trappans metallsteg.

Vid trappans fot kämpade sig Schrödy omedelbart ur Georges grepp och landade elegant på golvet. Barnen följde efter katten där han skyndade fram under den enorma ATLAS-detektorns böjda vägg.

"George", sa Annie och ryckte i hans ärm medan de tassade efter den vackra svartvita katten. "Tänk om Schrödy inte visar oss bomben. Vad gör vi då?"

George kände sig illamående. "Jag vet inte", medgav han och försökte låta tapper. "Vi får väl försöka hitta din pappa. Han kommer att kunna stoppa den. Det *kommer* han, Annie!"

Men de visste båda två att de var långt nere under marken, omgivna av betong, sten och flera lager av metallmaskiner. Om

bomben exploderade innan de kunde desarmera den skulle de inte ha någon chans att fly.

De följde efter katten som ledde dem raka vägen till den innersta delen av den jättelika underjordiska kammaren. ATLAS gigantiska buk reste sig över dem och svängde uppåt. Den bestod av flera miljoner komponenter. Barnen blickade uppåt mot det största experimentet mänskligheten någonsin skapat.

"Om bomben är där inne så kommer vi aldrig att hitta den", viskade Annie.

George började misströsta … men Schrödy hade andra planer. Katten fräste och fällde återigen ut klorna och begravde dem i Annies ben. Trots att hon hade på sig jeans kände hon dem tydligt.

"*Aj!* Otäcka katt!" tjöt hon.

Katten var oberörd. Han såg förväntansfullt upp på dem medan hans långa svans rörde sig från sida till sida. Sedan började han gå mot

en läskautomat i hörnet. Barnen hade inte ens lagt märke
till den – ett så välbekant föremål mitt bland den ovanliga
utrustningen smälte in i bakgrunden så att det nästan blev
osynligt.

"Schrödy!" sa Annie argt. "Vi tänker inte köpa dig någon
dricka! Vi har annat att tänka på!"

Men George stod och betraktade läskautomaten. "Annie", sa
han lågt. "Ser du någonting konstigt med den här automaten?"

Hon tittade närmare på den. Övre halvan bestod av flera små
delar som var och en hade en bild av en dryck och en knapp
man skulle trycka på för att beställa den. Nedanför de olika
alternativen satt en handskriven lapp. "UR FUNKTION", stod
det på den.

"Jag har aldrig hört talas om någon av de här dryckerna", sa
Annie och såg på George. "Det är inga riktiga läsksorter! Jag
menar ... Kvark-kola! Glada gluoner! Nyttiga neutriner! Vad
är det för något? Och alla lampor lyser, trots att det står UR
FUNKTION."

George räknade snabbt. "Åtta", sa han bistert. "Det finns åtta
drycker att välja mellan. Och Liemann sa att bomben har åtta
brytare." Annie flämtade till. "Bomben finns inuti automaten,
eller hur?" sa hon. "Vi måste välja rätt dryck för att desarmera
bomben!"

George tog fram papperslappen med den långa sifferkoden
som Pocki hade varit vänlig nog att utsöndra till honom.
"Precis", sa han. "Det här är koden som får brytarna att
aktiveras så att man kan aptera eller desarmera bomben. Men

kvantsuperpositionen innebär att alla åtta brytarna har använts för att aptera den, men det är bara en som har betydelse. Vi vet bara inte vilken."

"Så om vi trycker på fel knapp så exploderar den?" sa Annie.

"Ja", sa George. "Och det finns inget sätt att veta vilken läsk som är rätt förrän vi väljer en och då kommer det förmodligen att visa sig vara fel. Men Liemann sa att han hade gjort någonting med bomben så att den går att stänga av trots allt. Han sa att han redan hade gjort en observation …"

Annie tänkte snabbt. "Om han har gjort en observation så betyder det att han redan har kollat vilken läsk bomben kommer att använda så att den där grejen med kvantsuperposition inte kommer att hända. Liemann måste ha vetat vilken knapp som kan användas för att desarmera den. Pocki skickade koden för att aktivera brytarna ..."

"Och då gäller det bara för oss att välja rätt dryck", sa George. "Det är allt."

"Det är allt ...", ekade Annie och stirrade på dryckerna i automaten. Hon tog ett steg framåt.

"Rör den inte", varnade George. "Det kan finnas fällor på den."

"Jag tänkte inte röra den. Men vi måste välja ... titta!"

Nedanför myntinkastet fanns en display som skulle visa hur mycket man hade betalat. På den syntes tre siffror som snabbt räknade ned. 80 ersattes av 79. "Jag slår vad om att det där är sekunderna som är kvar till explosionen", sa Annie. "Så vi måste välja något och det snabbt – annars kommer bomben att explodera ändå. Vad skulle hända om vi tryckte in alla åtta brytarna samtidigt? Skulle det funka?"

"Nej, tyvärr", sa George. "Det är ju en läskautomat – det är det som är så smart! Tänk på saken: på en vanlig läskautomat kan man bara trycka in en knapp i taget och få en enda dryck. Man kan bara välja ett alternativ. Så vi kan inte trycka in mer än en knapp nu heller."

"Men vilken knapp ska vi trycka på, då?" frågade Annie.

George svalde ljudligt och läste den översta raden med drycker.

"BruWZ-vatten", läste han. *"Kvark-kola. Glada gluoner. Frusna fotoner. Nyttiga neutriner. Elektronenergi. Hi-Hi-Hi GG! Is-tau med citronsmak."* Siffrorna på displayen visade nu 60 och sekunderna försvann snabbt. George tittade på Schrödy. "Har du någon idé?" frågade han. Katten tycktes skaka på huvudet som om han ville beklaga sig och säga att han hade gjort vad han kunde. Han kröp ihop på Georges fötter och började tvätta morrhåren. "Annie?" frågade George hoppfullt.

"Det måste vara så att en av dem inte passar in", sa Annie. "En av dem ... måste vara inställningen som Liemann använde för att göra kvantobservationen som fick bomben att välja en av de åtta koderna. Men vilken?"

"W- och Z-bosoner ...", mumlade George. "Kvark ... gluon, foton, neutrino. Elektron, Higgs och Tau. Vilken är det?" Plötsligt kändes det som om hans hjärna lystes upp som en av knapparna på läskautomaten. "Heureka!" utbrast han. "Jag har det! Det är Higgs! Det är den som inte passar in."

"Är du säker?" frågade Annie. Enligt displayen var det bara trettio sekunder kvar till explosionen.

"Higgspartikeln är *hypotetisk*", sa George snabbt. "Alla de andra känner vi till – vi har påvisat deras existens. Men vi vet ännu inte om Higgspartikeln verkligen existerar eller om den bara är ett praktiskt sätt för att få resten av våra kunskaper att passa ihop på ett snyggt sätt."

"Tryck på den!" uppmanade Annie. "Tryck *nu*, George! Innan det är för sent!"

Det var femton sekunder kvar när George lutade sig framåt. Han dröjde lite med handen ovanför knappen.

Tänk om han hade fel?

Tänk om han tryckte på fel knapp och blev ansvarig för att hela LHC-acceleratorn exploderade tillsammans med allt och alla i den?

Ett minne dök upp. Eric hade en gång pratat om hur alla observationer inom kvantmekaniken var i grunden oförutsägbara ("obestämbara" var ordet han hade använt). Fysiker kunde bara beräkna *sannolikheten* för ett speciellt resultat och det var bara i särskilda situationer som sannolikheten var säker. Hur kunde då Liemann ha tvingat bomben att välja *Hi-Hi-Hi GG!?* Han kastade en blick på Pockis papperslapp och insåg att det sista tecknet i den långa raden med siffror inte var någon siffra utan stora H.

Nedräkningen på displayen tickade fortfarande ned – 9 – 8 – 7 – 6 – 5 – när George till sist kände sig övertygad och tryckte på knappen för att välja Higgsläsken.

Alla utom en av knapparna på automatens framsida slocknade omedelbart. Det var bara knappen *Hi-Hi-Hi GG!* som fortsatte att blinka. Displayen fastnade på fyra sekunder och texten ANGE KOD rullade över en ruta bredvid knapparna.

George tryckte snabbt in Pockis sifferkod och hela maskinen lyste hastigt upp och vibrerade. Siffrorna på displayen försvann och ersattes av ordet DESARMERAD.

Medan barnen förbluffat tittade på hördes ett slamrande ljud och en läskburk föll ned i luckan längst ned innan automaten abrupt stängdes av.

"Oj!" sa George. "Det där hade jag verkligen inte väntat mig!"

Schrödy spann muntert och Annie sjönk ned på golvet av lättnad. Plötsligt hörde de någonting annat – ljudet av en tung dörr som slogs upp och fotsteg som närmade sig. Fotstegen kom närmare och sedan rundade en utmattad Eric hörnet. Han stannade tvärt när han fick syn på barnen.

"Annie! George!" ropade han. "Vad i alla bländande stjärnors namn är det som pågår?" Bakom honom stod en skara förbryllade vetenskapsmän som hade rusat till ATLAS-grottan så snabbt de kunnat.

När larmet gått hade vetenskapsmännen konstaterat att två små personer på något sätt hade kommit in i ATLAS-detektorns grotta. Eric hade trängt sig fram genom folkmassan framför datorskärmen som visade inkräktarna och med fasa insett att de två personerna var slående lika hans dotter och hennes bäste vän George. Han hade tillsammans med de andra vetenskapsmännen chockat tittat på medan gestalterna skyndat ned för trappan framför ATLAS och sedan försvunnit ur bild. I det ögonblicket hade Eric återfått fattningen, störtat ut ur startrummet och skyndat med bestämda steg mot detektorn ATLAS.

"Pappa!" sa Annie och rusade fram och kramade honom. "Du är i säkerhet! LHC-acceleratorn kommer inte att explodera! Det är inte slut med vetenskapen!"

"Vad pratar du om?" utbrast Eric.

"Professor Bellis", sa en annan vetenskapsman. "Kan du förklara hur två barn – som uppenbarligen står dig nära – har lyckats ta sig in i den förseglade underjordiska delen av LHC-acceleratorn så att det elektroniska låssystemet utlösts och en stråldump initierats?"

"Å, doktor Ling", sa Eric och nickade mot forskaren som talat.

"Kan du vara snäll och förklara vad som står på?" Doktor Ling bar Kosmos, den lilla silverfärgade datorn, under armen. Hur bråttom doktor Ling än hade haft när han följt efter Eric från startrummet så hade han inte velat lämna Kosmos oövervakad.

"Ja, jo – nej!" sa Eric och vetenskapsmännen rynkade sina pannor. Men George klev snabbt fram. "Öh ... hej, allihop", sa han. "Jag ber så mycket om ursäkt för det här. Det fanns en kvantmekanisk bomb inuti den här läskautomaten."

"Läskautomaten?" sa doktor Ling. "Men den har ju inte

fungerat på flera år! Det är aldrig någon som använder den ... å",
sa han. "Ja, det vore ju ett riktigt smart ställe att gömma en bomb
på."

"Om bomben hade exploderat så skulle hela acceleratorn ha
förstörts", fortsatte George. "Vi – det vill säga jag och Annie,
för jag skulle aldrig ha kunnat lista ut det här ensam – visste att
det fanns åtta brytare för att aptera eller desarmera bomben. Det
finns åtta olika drycker att välja mellan på den här automaten,
vilket betyder att var och en representerar en av bombens brytare.
Vi hade en kod ..." Han höll upp lappen med Pockis kod. "Och

vi visste att mannen som byggde bomben redan hade gjort en observation i hemlighet. Så vi behövde bara ta reda på vilket alternativ som var rätt – det gällde helt enkelt att välja rätt läsk. Vi ansåg att det måste vara Higgs-läsken. Alla de andra har fått sina namn från partiklar man *vet* existerar, men Higgspartikeln är fortfarande hypotetisk och har ännu inte påvisats i experimenten här vid LHC-acceleratorn." Han kastade en blick på Annie. "Att koden här slutar med 'H' tydde naturligtvis också på att det var rätt. Vi valde Higgs, matade in koden och nu är bomben desarmerad."

"Oj ... det innebär faktiskt att det här är första gången som Higgspartikeln faktiskt observerats vid LHC-acceleratorn", sa en vetenskapsman. "Och det skedde med hjälp av en läskautomat!"

De andra vetenskapsmännen började viska till varandra. "Kvantmekanisk bomb", muttrade de. "Vem skulle någonsin bygga ett så djävulskt vapen?"

"Men hur kunde det här fruktansvärda hända?" frågade doktor Ling ängsligt. "Vem skulle vilja ställa till med sådan enorm förödelse?"

George och Annie såg på varandra. Den här gången var det Annie som reste sig och började förklara.

"Alltså, den där organisationen TOARING …", började hon. Vetenskapsmännen stönade, men Annie fortsatte. "De ville spränga acceleratorn medan ni allihop var här så att det skulle se ut som om högenergiexperimentet hade gått snett. De tänkte slå två flugor i en smäll – världens ledande fysiker skulle utplånas och samtidigt skulle allmänheten tro att sådana här experiment är så farliga att de måste förbjudas."

"Jag förstår inte riktigt", sa doktor Ling. "Hur kunde de lyckas med detta? Säkerheten här vid acceleratorn hade inte kunnat vara högre. Hur kom de in?"

"De hade en infiltratör", förklarade George.

"Det var Zuzubin, va?" sa Eric sorgset. "Han svek oss, eller hur? Har du någon aning om varför, George?"

Eric såg så ledsen ut att George helst inte hade velat nämna Zuzubins svek igen. Men han var tvungen att svara på frågan.

"Jo, alltså, Annie och jag tror att Zuzubin ville använda gamla Kosmos som en tidsmaskin och resa bakåt i tiden. Han ville få det att se ut som om hans teorier – teorierna som ingen längre minns – stämde trots allt. Och att ni hade fel. För att stärka sina egna teorier ville han också få det att verka som om han hade förutspått att LHC-acceleratorn skulle explodera."

Eric tog av sig sina glasögon och började putsa dem med

skjortan. "Herregud", mumlade han. "Stackars gamle Zuzubin."

"Vad då 'stackars gamle Zuzubin'?" sa George häftigt. "Han försökte ju spränga oss i bitar! Du kan väl inte tycka synd om honom?"

"Han måste ha blivit galen", sa Eric och skakade på huvudet. "Den Zuzubin jag kände skulle aldrig ha gjort någonting sådant här. Han förstod att vetenskapen är en pågående process. Det handlar inte om vem som har rätt eller fel utan om framsteg. Det handlar om att göra sitt bästa och låta kommande generationers forskare bygga vidare på det man har upptäckt. Ens teorier kan komma att motbevisas – det är en risk man tar. Och man måste ta risker för att bryta ny mark – gör man inte det så kommer man aldrig att åstadkomma någonting meningsfullt. Fel gör vi alla ibland. Så är det ju bara. Man försöker, misslyckas och börjar om på nytt … det gäller inte bara inom vetenskapen, utan i livet i största allmänhet."

"Absolut", sa doktor Ling. "Den största utmaningen är ju inte när hypoteser visar sig stämma utan när de inte gör det och man i stället upptäcker ny information som innebär att man måste ompröva allt det man trodde att man visste."

Precis i det ögonblicket började doktor Lings och de andra forskarnas personsökare att pipa frenetiskt. De kvittrade som om en flock starar hade flugit in i rummet. Alla tog upp sina personsökare och läste det korta meddelandet på skärmen. Flera av de församlade forskarna tjöt högt.

George såg på Eric. "Vad är det? Vad står på?"

Han omfamnade de två barnen. "Det är ATLAS!" sa han.

"Han har ett resultat till oss! Precis när vi minst väntade det! Och han har lite ny information om universums tidiga skede. Om jag bara kunde mata in den informationen i Kosmos ..." Han kom av sig.

Alla vetenskapsmännen tystnade när de mindes att den svåra frågan om vem som skulle ha ansvaret för Kosmos inte hade besvarats än.

Doktor Ling såg tankfull ut. "Professor Bellis", sa han artigt. "Jag tror att det finns ett ärende som måste klaras upp innan vi kan undersöka den nya spännande informationen från ATLAS. Innan jag ber Sällskapet för Vetenskaplig Forskning att rösta om huruvida du ska förbli Kosmos förvaltare så skulle jag vilja ha svar på följande: Hur kommer det sig att de här två barnen vet så mycket? Hur har två barn lyckats använda sina oväntade kunskaper om kvantmekanik för att förhindra en enorm katastrof här vid LHC-acceleratorn i dag – en katastrof som skulle ha omintetgjort flera hundra år av forskning?"

Eric fick ingen chans att svara, för George hann före.

"Det kan jag berätta", svarade han. "Vi vet en massa grejer för att Eric hela tiden förklarar saker och ting för oss. Men han nöjer sig inte med att *berätta* – han tar med oss på resor och låter oss själva tänka ut lösningar på olika problem. Han hjälper oss genom att ge oss kunskap, men han får oss också att använda hjärnan så att kunskapen verkligen betyder något."

"Gör han detta med hjälp av Kosmos?" frågade doktor Ling.

"Kosmos hjälper honom att göra det roligt och spännande för oss", sa George. "Vi lär oss saker och sedan, när vi möter nya utmaningar, så vet vi hur vi ska tillämpa det vi har lärt oss i olika situationer och komma på lösningar." George såg lite bekymrat på Eric, men bestämde sig för att fortsätta. "Det är förstås också så att vi aldrig hade fixat det här – att rädda alla människor och LHC-acceleratorn – om det inte varit för doktor Liemann. Han försatte sig själv i livsfara genom att gå med i TOARING. Vem vet vad de hade gjort med honom om de kom på att han var en spion? Och han skickade ut sin avatar i rymden för att berätta för mig om bomben. Utan honom hade vi aldrig lyckats stoppa dem. Jag tycker att ni borde överväga att göra honom till medlem i

Sällskapet igen. Han förtjänar verkligen att välkomnas tillbaka."

"Hm", sa doktor Ling. "Väldigt intressant. Vi ska rösta om de här frågorna. Kan alla som anser att Eric Bellis även fortsättningsvis bör ha huvudansvaret för Kosmos räcka upp handen?"

En skog av händer sträcktes upp.

"Är det någon som har invändningar?"

Inte en enda arm höjdes.

"Kan alla som vill att Karl Liemann återupptas som medlem i Sällskapet för Vetenskaplig Forskning vara snälla och räcka upp handen?"

Trots att Eric sträckte upp handen så behövdes det två röster till för att ja-sidan skulle få majoritet.

"George och Annie", sa Eric vänligt. "Jag har för mig att ni också är medlemmar i Sällskapet. Vill ni rösta?"

Båda barnen log och räckte upp sina händer.

"I så fall", sa doktor Ling och räckte över Kosmos till Eric, "så ber jag att åter få överlämna Kosmos i dina händer. Och vi ska även leta upp doktor Liemann och återuppta honom som medlem. För att han räddade vetenskapen från att utplånas ..."

"Tack", sa Eric och tog tacksamt emot Kosmos. "Tack, doktor Ling. Och jag vill också tacka er, kära kolleger från Sällskapet för Vetenskaplig Forskning. Men allra mest vill jag tacka *er*, Annie och George."

"Det är en sak till", sa doktor Ling när gruppen började röra sig mot hissen. "Professor Bellis – inga mer grisar. Var snäll och låt bli det. Inte med superdatorn i alla fall."

"Naturligtvis", sa Eric hastigt. "Jag ska använda bilen nästa gång jag behöver flytta på en gris ... när jag har hittat honom igen, alltså", tillade han lågt. Det var det första han skulle göra efter att han undersökt resultaten av experimenten om universums ursprung.

"Apropå det så tror jag bestämt att jag såg en *katt* här någonstans", sa doktor Ling när de ställde sig i kön utanför hissen. "Jag trodde knappt mina ögon – hur kan en katt komma hit ned?"

"Visst, det var Schrödy", sa Annie. "Han var ..." Hon tystnade. Hon såg sig omkring, men kunde inte se några spår av den svartvita katten.

"Han kanske har försvunnit till någon annan dimension", spekulerade hon förvånat. "Om M-teorin stämmer så har han trots allt tio att välja mellan."

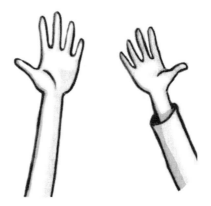

"Schrödy?" frågade doktor Ling.

"En låtsaskompis", sa George bestämt. "Annies hemlige kompis. Hon är fortfarande ung och har väldigt livlig fantasi ... aj! Aj! Annie, bort från mig!"

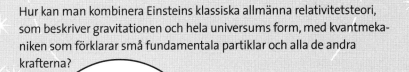

Hur kan man kombinera Einsteins klassiska allmänna relativitetsteori, som beskriver gravitationen och hela universums form, med kvantmekaniken som förklarar små fundamentala partiklar och alla de andra krafterna?

De mest lyckade försöken förutsätter *extra rumsdimensioner* och *supersymmetri*.

De extra dimensionerna är så tätt hoprullade att stora föremål inte märker dem!

Supersymmetri skulle innebära ännu fler fundamentala partiklar: till exempel fotiner som är besläktade med fotonerna och skvarkar som är besläktade med kvarkarna! (Med LHC-acceleratorn kanske man kan upptäcka både dessa och extra dimensioner.)

I teorin om *supersträngar* (supersymmetriska strängar) ersätts partiklar (punkter) av pyttesmå "strängar" (linjer). Genom att vibrera på diverse sätt – som när olika toner spelas på en gitarrsträng – beter sig strängarna som olika typer av partiklar. Trots att det låter konstigt så skulle strängar faktiskt kunna förklara gravitationen!

11 DIMENSIONER!

Supersträngar måste existera i 10 dimensioner – så det måste finnas sex dolda extra rumsdimensioner. Vi förstår ännu inte riktigt hur detta går till.

1995 lade *Ed Witten* fram en idé om att alla de olika typerna av supersträngteorier i själva verket är olika specialfall av en *enda* teori med *11* dimensioner, som han kallade *M-teorin*.

M-teorin har studerats flitigt av forskare sedan dess, men man förstår ännu inte exakt vad den innebär eller om den verkligen är en teori om allt.

Forskarna är oeniga om vad ”M” egentligen betyder: står det för *magi-, mysterie-, mästar-, moder-* eller kanske *membran-*? Framtida generationers fysiker kommer att upptäcka sanningen!

Kapitel nitton

Väl tillbaka på
markplan samlades
vetenskapsmännen glatt
runt datorskärmarna
i kontrollrummet i
CERN. De skulle
gå igenom den
förbluffande nya
informationen som
ATLAS registrerat
i samband med
högenergikollisionerna
i tunnlarna nedanför.
Doktor Ling och Eric
var väldigt upptagna

med att mata in resultaten i Kosmos.

"Det här är väldigt spännande", sa Eric till George och Annie.

290 Lucy & Stephen Hawking

"Med den nya informationen från ATLAS kommer vi kunna köra en baklängessimulering av universum på Kosmos. Vi kan börja i dag och arbeta oss hela vägen tillbaka till universums början för tretton komma sju miljarder år sedan. Det lär bli en imponerande föreställning!"

"Öh, pappa ...", sa Annie. "Skulle du kunna ringa mamma innan du gör det? Hon oroade sig verkligen för dig. Hon vill nog veta att du mår bra."

"Visst, ja!" sa Eric och tog upp en av telefonerna från bordet och slog sitt hemnummer.

"Hej, Susan!" sa han i luren. "Ja, ja, jag mår bra ... va? Annie? Försvunnen? Nej då, hon är här hos mig ... Hur hon kom till Schweiz? Ja du, det är en ganska lång historia ... Nej, nej, George är också här ... Ja, vi kommer tillbaka före festen ... Nej, jag har inte glömt att jag lovade att hämta tårtan ..."

Medan Eric kämpade för att förklara hur de två barnen hade dykt upp helt oskadda vid LHC-acceleratorn knackade George doktor Ling på axeln.

"Doktor Ling", sa han. "Hur blir det med TOARING? Vad kommer att hända med dem?"

Vetenskapsmannen såg väldigt allvarlig ut. "Jag har skickat ut en internationell varning", sa han till George. "Jag hoppas att vi hittar dem så att de kan gripas. De har utsatt otaliga personer för livsfara genom sina aktiviteter och vi hade haft en ren tragedi här i dag om det inte varit för dig och Annie."

"Kommer ni att hitta dem?"

"Vi ska leta upp dem, var på planeten de än befinner sig."

"TOARING försökte inte alls skydda människor, va?" frågade George. "De ville bara skrämma folk så att de skulle gå med i deras organisation."

"Ja, George", sa doktor Ling. "De låtsades att de värnade om mänsklighetens framtid, men det var inte sant. De använde ett ädelt motiv för att dölja ett ruttet – vilket faktiskt är riktigt ondskefullt."

"Mina föräldrar är inte så förtjusta i naturvetenskap", medgav George. "De tror att den kan skada planeten. De försöker att leva ett grönt liv."

"Då är de precis sådana människor som vi, som forskare, bör lyssna på. Vi får aldrig strunta i deras synvinkel. Planeten tillhör oss alla och för att komma framåt måste vi arbeta tillsammans."

George sa inget, men kände sig stolt över sin mamma och pappa.

Under tiden hade Annie tagit telefonen från sin pappa och pratade med Vincent i Foxbridge.

"Va!" utbrast hon. "*Vad* sa du att du gjorde?" Hon brast i skratt, täckte över telefonen med handen och vände sig mot George. "Vincent skickade Zuzubin till den omvända Schrödingerfällan! Zuzubin höll precis på att kvickna till när Vincent öppnade dörren och knuffade in honom!"

George tog telefonen från Annie. "Wow! Snyggt jobbat", sa han beundrande till Vincent. George fick medge att han var tacksam och att det kanske, kanske fanns en möjlighet att han och Vincent blev kompisar i framtiden.

Vincent skrattade i luren. "Äh, det var väl ingenting", sa han ödmjukt. "Inte direkt lika imponerande som det du gjorde. Jag tänkte bara att det var det säkraste stället tills Eric kommer tillbaka. Jag ser honom på skärmen nu – han är helt rasande! Men jag har låst dörren, så han kan inte öppna den igen."

"Kan han fly därifrån?" frågade George.

"Nix", sa Eric, som hade hört samtalet. "Zuzubin sitter i princip fast där. Tills vi kommer tillbaka till Foxbridge i morgon – med flygplan, precis som vanliga människor. Oroa er inte, ungar. Jag ska ta itu med Zuzubin när vi kommer tillbaka. Och ja, George, jag ska leta reda på Freddy så att vi kan hitta en permanent bostad till honom också."

Annie tog telefonen från George. "Hej då Vince!" sa hon muntert. "Vi ses i morgon! Vi måste gå nu – pappa ska köra universum baklänges på Kosmos! Vi ska tillbaka till tidernas början och se hur det var vid den stora smällen!"

Eric satt framför superdatorn och knappade på tangenterna medan doktor Ling kikade nyfiket över hans axel. Annie och George trängde sig fram genom den lilla skaran med forskare som höll på att samlas i tysthet runt dem för att titta på skärmen. Spalter med siffror drog snabbt fram över den och i ett hörn syntes ett diagram med en liten röd linje som kröp framåt och nedåt mot skärmens botten. "Det där är universums diameter", sa Eric och pekade. "Den krymper till noll när Kosmos närmar sig den stora smällen."

Medan George tittade dök linjen plötsligt brant nedåt och störtade nästan lodrätt ned mot diagrammets botten. "Det där

är inflationen", mumlade doktor Ling. "En period då universum expanderade exponentiellt. Vi har redan kommit en bra bit in i den första sekunden av universums historia."

Under minuterna som följde var ljudet från datorerna och luftkonditioneringssystem det enda som hördes. George kunde inte slita blicken från den lilla linjen. Den sjönk nästan hela vägen ned till skärmens botten, men började sedan räta ut sig lite. Den var fortfarande på väg nedåt, men inte lika brant.

George stirrade och såg hur samma sak upprepades. Någon bakom honom drog efter andan. George kastade en blick på Eric och såg att han strålade av lycka. Hans ögon pilade fram och tillbaka över de till synes oändliga kolumnerna med siffror.

"Det där var inte vad vi väntade oss", viskade Eric för sig själv. "Det där var inte alls vad vi väntade oss!"

"Vilket?" frågade Annie.

Hennes pappa vände sig mot henne och log. "Det vi hade hoppats på från början, Annie. Ny fysik! Det verkar inte finnas någon vid den stora smällen trots allt!" Han vände sig tillbaka till Kosmos och började skriva snabbt på tangentbordet.

Annie såg på George. "Det verkar inte finnas vad?" frågade hon.

George höll fortfarande ögonen på diagrammet. Den lilla linjen var fortfarande på väg nedåt, men hade nu planat ut och såg ut att nudda skärmens nederkant. Den löpte i stort sett vågrätt nu. "Jag tror att jag vet ...", svarade han.

Eric lutade sig bakåt och såg triumferande ut. "Ni ska få se!" tjöt han och böjde sig fram och tryckte på F4. En liten ljusstråle sköt ut från Kosmos skärm och ritade upp ett fönster i luften ovanför Annie, George, doktor Ling, Eric och de andra församlade vetenskapsmännen. Till en början var det mörkt i fönstret och allt som syntes var ett runt, suddigt föremål i mitten. Men det blågröna klotet kom snabbt i skarp fokus och de insåg att de tittade på planeten jorden som vred sig runt sin axel i sin färd längs omloppsbanan runt sin moderstjärna, solen. Kosmos förde fönstret närmare så att man tydligt kunde se det välbekanta

mönstret av kontinenter och hav, öknar och stora skogar som
täcker ytan på jorden, den allra vackraste och mest beboeliga
av alla planeter. Men medan de tittade tycktes jordytan ändra
form …

TILLBAKA TILL DEN STORA SMÄLLEN

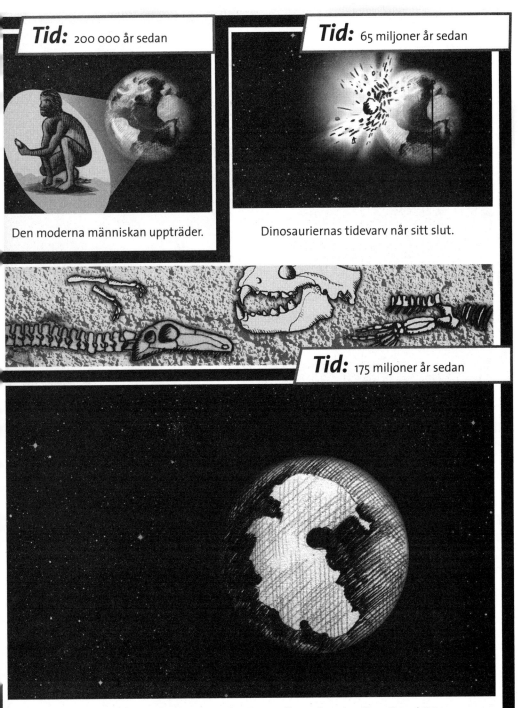

Tid: 200 000 år sedan

Den moderna människan uppträder.

Tid: 65 miljoner år sedan

Dinosauriernas tidevarv når sitt slut.

Tid: 175 miljoner år sedan

Pangea – en jättelik landmassa bestående av alla jordens kontinenter – börjar delas upp.

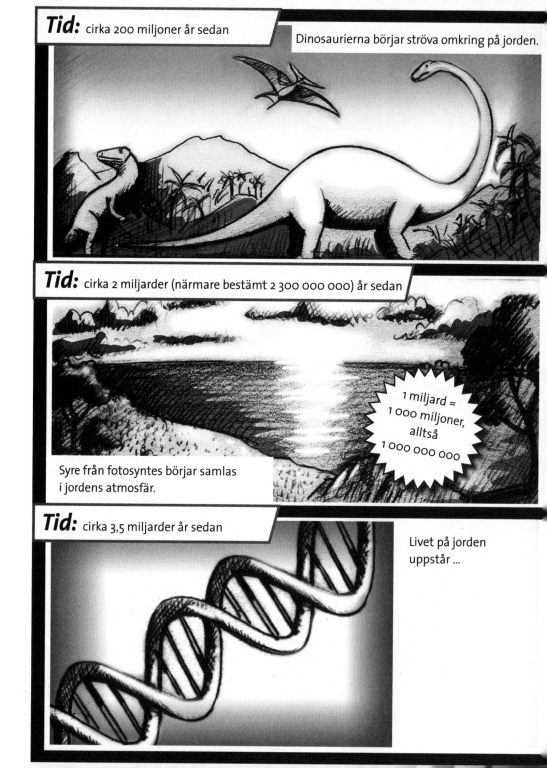

Tid: cirka 200 miljoner år sedan

Dinosaurierna börjar ströva omkring på jorden.

Tid: cirka 2 miljarder (närmare bestämt 2 300 000 000) år sedan

1 miljard =
1 000 miljoner,
alltså
1 000 000 000

Syre från fotosyntes börjar samlas
i jordens atmosfär.

Tid: cirka 3,5 miljarder år sedan

Livet på jorden
uppstår ...

Den tidiga jorden är en farliga plats ...

... liksom det tidiga solsystemet när planeterna bildas.

Vår sol bildas.

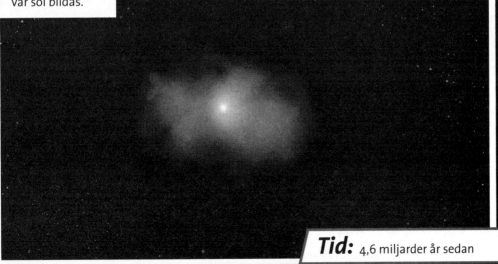

Tid: 4,6 miljarder år sedan

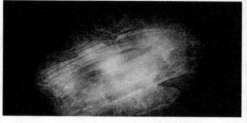

En vacker spiralgalax – Vintergatan.

Tid: 13,2 miljarder år sedan – cirka 500 miljoner år efter den stora smällen

De första stjärnorna exploderar och skickar ut en blandning av olika atomer i rymden. Dessa kommer att hamna i nästa generation av stjärnor över hela universum.

Gasmoln kollapsar till klumpar som blir så varma att de avger kärnenergi – och blir de första stjärnorna.

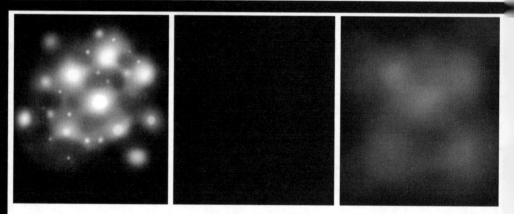

Täta områden av mörk materia och gas dras samman av gravitationen.

Universums mörka tidsålder varar i några hundra miljoner år.

Dimman lättar när de första fullständiga atomerna dyker upp – den kosmiska bakgrundsstrålningen eller mikrovågsstrålningen är nu fri och kan färdas genom universum.

Tid: cirka 400 miljoner år tidigare – 380 000 år efter den stora smällen

Universum fylls av het dimma och de första atomkärnorna bildas.

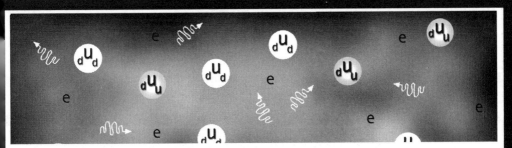

Kvark-gluon-plasmat har svalnat så att protoner och neutroner kan bildas. Materia och antimateria förintas och frigör fotoner (ljuspartiklar) som inte kan färdas så långt genom det dimliknande plasmat.

Tid: 1 miljondels mikrosekund efter den stora smällen

Tid: 10 miljarddels miljarddels miljarddels mikrosekund efter den stora smällen

Alla partiklar har fått massa med hjälp av Higgsfältet.

Universums inflation har precis slutat och en stor energimängd har frigjorts. Universum är fullt av ett kvark-gluon-plasma.

Tid: inflationsepoken. Nästan framme vid den stora smällen ...

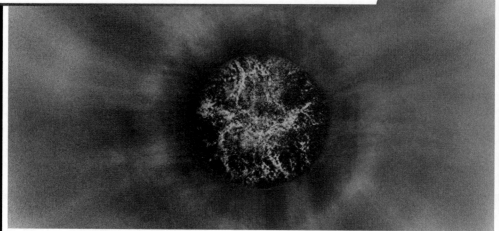

Universum krymper väldigt fort nu när vi närmar oss den stora smällen!

Tid: Planckepoken – ny fysik!

Den exotiska materiens och M-teorins värld. Universum krymper fortfarande, men
inte riktigt lika fort ...

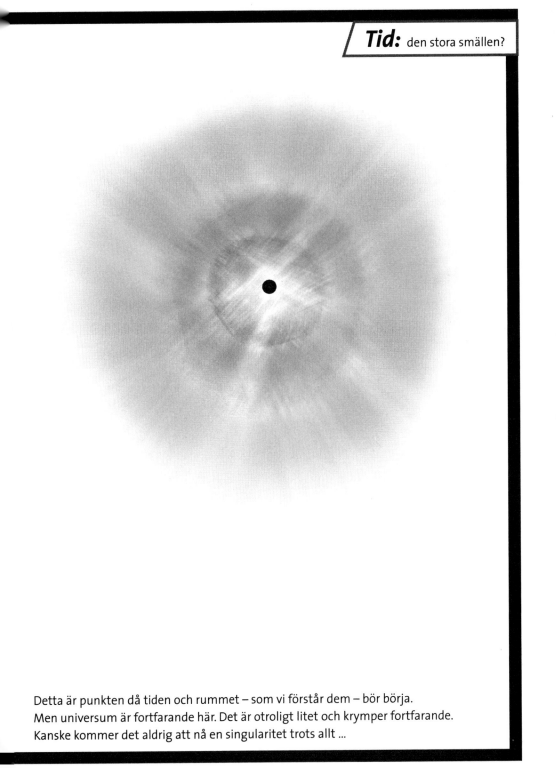

Detta är punkten då tiden och rummet – som vi förstår dem – bör börja.
Men universum är fortfarande här. Det är otroligt litet och krymper fortfarande.
Kanske kommer det aldrig att nå en singularitet trots allt ...

FÖRFATTARENS TACK

En bok som *George och den stora smällen* uppstår inte bara ur tomma intet. Det krävs många människor för att den ska komma till. Att arbeta med hela George-serien – i synnerhet denna tredje del – har varit ett nöje och ett privilegium. Jag skulle vilja tacka hela laget på Random Houses barnboksavdelning som har följt George på hans äventyr – i synnerhet min underbara redaktör Sue Cook som har tagit George från en vag idé till en hel trilogi. Jag vill också tacka Annie Eaton för sin vision och sitt engagemang i att göra naturvetenskapen tillgänglig för en ung läsekrets. Mina andra vänner och kolleger på Random Houses barnboksavdelning som gjort en fantastisk insats med George-serien är Jessica Clarke, Sophie Nelson, Maeve Banham, Juliette Clark, Lauren Buckland, Bhavini Jolpara, Margaret Hope, James Fraser och Claire Lansley. Jag vill även rikta ett tack till Claire Paterson, Kirsty Gordon, Luke Janklow och Julie Just på Janklow and Nesbit för deras ovärderliga förslag för att George inte bara skulle resa genom universum utan även på planeten jorden.

Garry Parsons har gett liv åt George och hans vänner och fiender med fart och charm – den här gången antog han utmaningen att illustrera universum baklänges. Forskaren Stuart Rankin förtjänar också ett stort tack. Utan honom hade världen aldrig fått stifta bekantskap med den omvända Schrödingerfällan. Till Stuarts bidrag hör den geniala fällan, texten om den stora smällen och de skenbart enkla förklaringarna av kvantmekanik och andra bisarra och sällsamma fenomen. Jag står också i tacksamhetsskuld till Markus Poessel på Max Planck-institutet, som kom med utmärkta synpunkter på den slutgiltiga versionen av texten.

Jag vill här än en gång räkna upp de strålande vetenskapsmän som tagit sig tid att förklara sitt arbete för en ung läsekrets. Tack till Paul Davies, Michael S. Turner och Kip S. Thorne för de lysande bidragen. Jag vill även tacka Roger Weiss på NASA för de fotografiska insikterna i universums underverk och alla våra vänner på NASA som låtit oss använda kosmiskt bildmaterial.

Dessutom vill jag tacka alla mina vänner och kolleger på ASU, där jag var residerande skribent under Origins-projektet, för att de gav mig ett underbart år och ett rum för att skriva färdigt den här boken.

Men mest av allt vill jag tacka alla våra unga läsare som ville ha ännu en George-bok! Lycka till på alla era kosmiska resor.

Lucy

OM FÖRFATTARNA

LUCY HAWKING är författare till två romaner för vuxna och har skrivit för flera brittiska tidningar och medverkat i TV- och radioprogram. Lucy har hållit populärvetenskapliga föredrag om rymdfärder och naturvetenskap för barn i hela världen och höll tal vid firandet av NASA:s 50-årsdag i USA. Hennes DNA har sänts upp i rymden som en del av "Projekt odödlighet". Det förvaras nu på rymdstationen ISS för den  händelse att människosläktet skulle råka gå under. Lucy belönades 2008 med utmärkelsen Sapio för sin populärvetenskapliga insats. Hon bor i Cambridge med sin son.

STEPHEN HAWKING är teoretisk fysiker och professor i matematik vid universitetet i Cambridge. Han anses vara en av de mest framstående teoretiska fysikerna sedan Einstein. Hans populärvetenskapliga bok *Kosmos: En kort historik* blev en enastående bestseller och har översatts till över 30 språk.

OM ILLUSTRATÖREN

GARRY PARSONS studerade konst i Canterbury och fortbildade sig som illustratör i Brighton. Han har belönats med flera utmärkelser, däribland en Red House Children's Book Award för bilderboken *Billy's Bucket*. Garry bor i London.